雨の名前

Ame no Namae

高橋順子 文
佐藤秀明 写真

▶北原白秋が『城ヶ島の雨』で「利休鼠の雨が降る」と歌った利休鼠とはこんな色です。

小学館

四季の雨
春の雨

四季の雨
夏の雨

四季の雨
秋の雨

四季の雨

冬の雨

季知らずの雨

編集にあたっては基本的に太陽暦に従い、三月～五月を春、六月～八月を夏、九月～十一月を秋、十二月～二月までを冬として分類しました。但し、七夕と盆は秋とし、一部写真が例外の扱いとなっているところもあります。

雨の羽

ねむれる島に
ねむれる木が生えている

雨の向こうがわに
春の建物が建っている

雨の羽が
わたしのゆめをおおう

あなたのひみつを
雨の羽がおおう

だれにも逢いにゆけない
繭《まゆ》の一日

四季の雨

春の雨

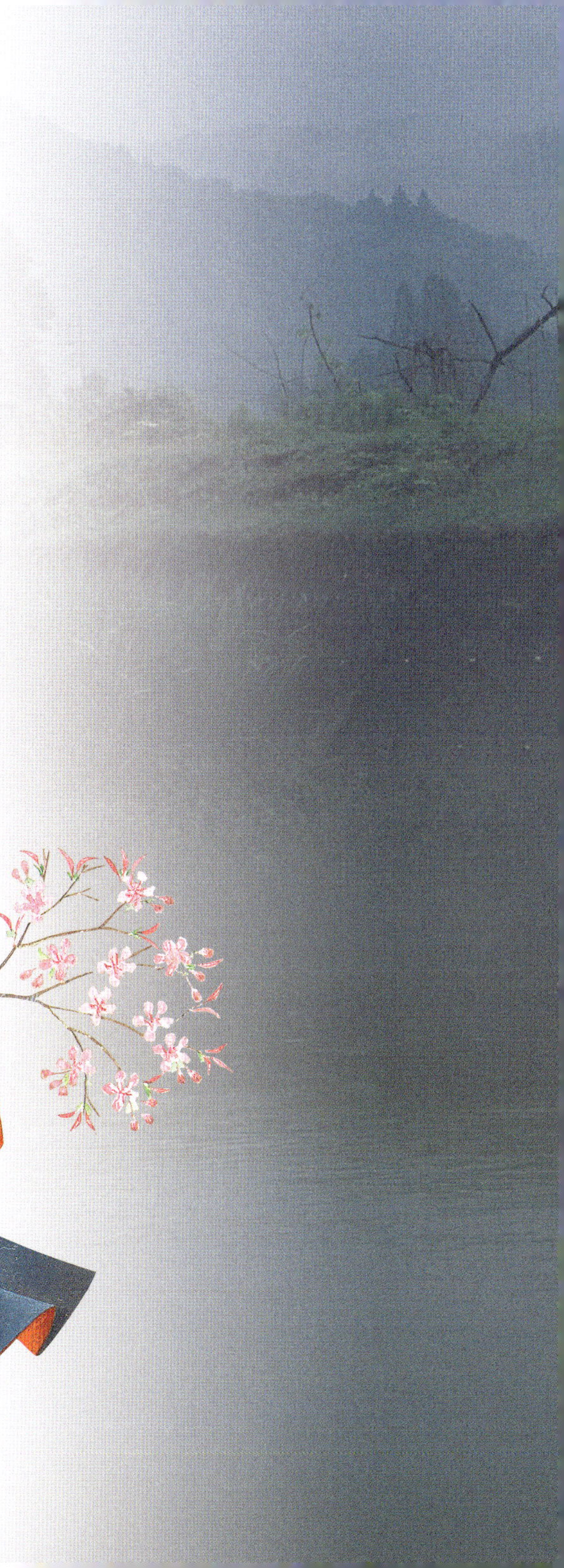

春の雨

わが背子が衣はる雨ふるごとに
野べの緑ぞいろまさりける

紀貫之

春、ひと雨ごとに野辺の緑がつややかになってゆく。この歌に描かれているのは、野辺に暮らす夫婦。妻は夫の服を洗い張りしている。洗い張りに雨が一役買っているのかもしれないが、妻の日は雨にうるおう緑を楽しんでいる。作者も、また。「はるさめ」の音が心地よく、明るい風情である。

春雨ほど日本人に好感をもたれている雨はないだろう。寒気

がゆるみ、雪国では冬中雪だったのが、或る日雨に変わる。あたたかくなってきた、春になった、という実感がともなうゆえだろう。

雪国でなくても、春の煙るような、やわらかな雨が地面に吸い込まれ、植物の芽吹きをうながすことになるのは、生きとし生けるものの素直な喜びである。春の雨の名前には、その質感をとらえたもの、恵みの雨としてのその働きを讃えたものなどがある。

「春雨じゃ濡れて行こう」と、芝居の月形半兵太を気取ったことのある人もいるだろう。濡れてもかまわない雨は、春雨である。

育花雨《いくかう》

花の生育をうながす春の雨。「**養花雨**《ようかう》」も同意語。四月八日は花祭り。花を飾り童子仏に甘茶をかけて釈迦の誕生を祝う。この日、八大竜王が釈迦の誕生に際し「甘露の雨」を降らせたという故事による。雨も甘茶も乾いた心にしみ入るようだ。

梅若《うめわか》の涙雨《なみだあめ》

謡曲「隅田川」の主人公梅若丸の忌日とされる陰暦三月十五日に降る雨のこと。人買いにかどわかされ、ひどい仕打ちの中で幼い命を閉じた梅若丸への哀情を雨に模したもの。

華雨《かう》

春の花が咲いているころに降っている雨のこと。桜の花に降りそそぐ雨をいう「**桜雨**」と同意だが、もともと中国では桜ではなく梅や桃、杏の花であったろうか。「**花雨**《かう》」は雨のように降る花のことをもいう。

蛙《かえる》目《め》隠《かくし》

新潟県東蒲原郡に伝わる言葉。春になって農作業が始まるころに降る雨。目隠し何するものぞ、雨に起こされて蛙のオーケストラが始まるのももうすぐだ。

寒明《かんあけ》の雨《あめ》

「寒明」は春の季語。立春の日をもって三十日間の寒の日が明ける。そのころに降る雨のこと。春とは名ばかりで、気分は明るいが、このころに降る雨はまだまだ雪や氷まじり。春の雨にはまだ遠いといったところ。

甘雨《かんう》

草木にやわらかく降りそそぐ、烟《けぶ》るような春の雨。始まった農作業の段取りに合わせるように降るこの雨は、農家の穀物ばかりでなく、野の草花に頃よくそそぎ、その成長を助ける。古来、春の雨景色にはゆったりとした甘さがあるようだ。「春の雨は花の親」という言葉がある。「**膏雨**」「**慈雨**」「**上雨**《じょうう》」も同意。「**甘**《かん》**霖**《りん》」は長く降る甘雨。

寒食《かんしょく》の雨《あめ》

二十四節気の一つ「清明」の前日、四月四日ころの「寒食節」に降る雨のこと。この日は烈しい風雨になるといわれ、終日台所での火断ちをし、寒食にしていたという故俗からきている。

杏花雨《きょうかう》

二十四節気の一つ「清明」にあたる四月五日ごろ、杏の花がひらくそのころに降る雨のことをいう。雨に洗われながら、野に山に花々が咲き競うが、古来中国ではゆかしい淡紅色に彩られた杏の花が愛でられ、露をふくんださまが多くの文人たちによって詠まれ、描かれてきた。

草《くさ》の雨《あめ》

山野に萌える草たちに烟るように降りそそぐ春の雨。このころの心躍る野歩きを「踏青《とうせい》」という。文字どおり青草を踏む。

紅《くれない》の雨《あめ》

春、濃く薄く紅に咲く花々、つつじ、しゃくなげ、桃、杏などに頃を重ねて降る雨のこと。

軽雨《けいう》

小糠雨のような、雨脚もこまかく静かにそそぐ雨で、春の景観を彩りながら耳目にもやさしい雨だ。また時にパラパラと降る「零雨」「微雨」の意味で使われることもある。

啓蟄《けいちつ》の雨《あめ》

二十四節気の一つ、三月五、六日ごろの「啓蟄」に降る雨。穴から出てきた冬眠明けの爬虫類《はちゅうるい》・両生類・昆虫類もこのころから息を吹き返し、ひと雨ごとに春らしくなってゆく。

迎梅雨《げいばいう》

陰暦三月の雨。春雨と梅雨の中間に降る雨のことで、古く中国の江南でいわれていた言葉。「**迎梅**」とのみいうこともある。

紅雨《こうう》

雨は無色だが、時に花粉や黄砂などをふくんで、やや色らしいものが付くことがある。かすかに紅色を帯びた雨のこと。ほかに花々にやさしくそそぐ春の雨景をもいう。清の袁枚の詩に「千枝の紅雨、萬重の煙」とある。

今日は重馬場

今日は雨だ――という代わりに、「今日は重《おも》馬場だ」とか「稍重《ややおも》だ」と言う人がいた。競馬狂である。雨の馬場（競走馬が走るトラック）のことを競馬用語で重馬場という。雨水をふくんで土が湿り、スピードを鈍らせる。馬の脚も土も重たくなるわけで、言いえて妙である。

稍重というのは、それほど馬場が荒れていない状態である。目の前に相当降っているのに、「馬場状態・稍重」と発表されるときがあるが、それは降りはじめたばかりで、まだ雨が土や芝に浸み込んでいないときである。つぎのレースには「重」に変わっていたり、あるいは雨があがってしばらくすると、電光掲示板に「良《りょう》」と表示されたりする。

私は逃げ馬に賭けるのが好きである。われながら単純もいいところである。逃げ馬というのは、はなから先頭を切りたくてしょうがない馬である。大抵途中でつぶれる。テレビ馬ともいわれて、途中までは確実にテレビに映る。

馬によっては鼻先に雨粒があたるだけで元気になる馬と、雨の日にやる気をなくしてしまう馬がいるので、そのへんは考えなければいけない。私の夢は重馬場のとき、葦毛の馬が一頭だけ泥を浴びず、その白い美しいたてがみと尾をなびかせて勝利するのを見ることである。

膏雨《こうう》

「膏」は、うるおう意で、「**甘雨**」とほぼ同じ。草木や農作物を適度にうるおし育む春のやさしい雨。

農家ではこのころ、水口《みなくち》を落としていた用水路や堰の修復をして、苗代《なわしろ》の準備を始める。堰は松杭と竹、うらじろなどを使って寄合総出で組まれ、十年ほどで大水で流される。底に埋積した泥も一掃されて、再び組み直す。環境循環型の最たるものだったが、今は、永久型のコンクリート堰がほとんどだ。

膏霂《こうもく》

「霂」は小雨の意。山野をうるおす恵みの雨である。「**膏雨**」と同意。「**膏霖**」となると、長雨である。

高野《こうや》のお糞流《ぐそなが》し

奈良県南大和郡の言葉。「高野」は高野山。陰暦三月二十、二十一日に降る雨。厠《かわや》が転じて便所を「高《こう》野《や》」といった地方があるので、それと掛けているのだろうか。聖なる山高野は糞までも尊し。

木《こ》の芽雨《めあめ》

春、木の芽どきに降る雨で、その成長を助ける雨。徳島県では、「**木《き》の芽《め》起こし**」「**木《き》の芽《め》萌やし**」、長崎県北松浦郡・鹿児島県肝属郡では「**木《き》の芽《め》流し**」などという。昔から木の芽がやわらかくふくらむことを「木の芽張る」といったりするが、これに掛けてさらに「**木の芽春雨**」といったりもする。

霞たち木の芽はる雨きのふまで
ふる野の若菜けさは摘みてん
藤原定家

催花雨《さいかう》

菜の花のころに、花が咲くのを催促するようにしとしとと降りつづく春の雨。別に「**菜花雨**」の表記もある。

桜雨《さくらあめ》

桜が咲くころに降る雨のこと。花どきにはおうおうにして「花冷え」と称して冷え込んだり、風雨が見舞ったりする。この「桜雨」も風に舞い、雨に散る桜花の風情か。

社翁《しゃおう》の雨《あめ》

「社翁」は土地の神さまのこと。その春の祭り日に神さまが降らせるという雨。穀物の成育を祈る「春社」と収穫への感謝をする「秋社」の年に二回の社日《しゃにち》がある。ふつう春の祭りは立春にもっとも近い戊《つちのえ》の日とされる。異称は「**社翁雨**」「**社日の雨**」。

春雨《しゅんう》

「はるさめ」と読まずに「しゅんう」と読めば、改まった感じがある。冬が明けて心身ともに弾むころに降る雨。

春霖《しゅんりん》

春霖雨《はるりんう》ともいう。こまかく烟るように降りつづく三、四月ころの長雨。春雨は長雨になることが多い。「霖」は長雨の意で、とくに三日以上つづく雨をいう。十日以上になると「**霪雨**《いんう》」という。秋に降る長雨は「**秋**《しゅう》**霖**」。

洗街雨《せんがいう》　陰暦二月八日に降る雨。この日は張大帝の誕生日で、この前後には客を招く風と客を送る雨があるとの中国の言い伝えがある。客を送る雨とはどんな雨だろう。街の埃をしずめ、洗い流す雨か。

洗厨雨《せんちゅうう》　陰暦二月十日、張大帝の誕生日の翌日に降る雨。「厨」は台所の意で、前々日の祝いに来てくれた人たちへ出すご馳走を作った調理場を、きれいに洗ってくれる雨という意味。

暖雨《だんう》　早春の暖かい雨のこと。雨脚もこまかく、雪を解かしながら降りつづく雨のこと。

あたゝかな雨が降るなり枯葎《かれむぐら》　子規

菜種梅雨《なたねづゆ》　菜の花が咲くころにしとしとと降りつづく暖かい雨。もともと「**催花雨**」といわれていたが、「菜」と「催」が同音なのでいつのころからか「菜種梅雨」と呼ばれるようになった。この雨は北日本には及ばない。

雨天決行・花見の宴

桜のころになると、毎年そわそわする。自分の中に、まだ咲かせずにはいられないものが残っているとでもいうように、上気して、桜の開花宣言を待つ。

　花見は同じような気分の女友達五、六人に、男性を一人二人加えたメンバーで、夜くり出す。みな忙しいので、雨天順延というわけにはいかない。雨天決行である。駅の改札口あたりに集まり、小一時間ほど歩いた後で、予約を入れた居酒屋に到着する。

　一部咲きの清潔で閑散とした桜並木を歩いたこともあるし、道の両側に敷かれた青いビニールシートに、どんどん水たまりができてゆくのを見ていたこともある。席取り係の新入社員らしい人が、携帯電話で「はい、引きあげます」などと答えているのを聞いたことも。

　開花後の雨は「花散らし」などと呼ばれることもあるようだが、気がもめることである。でも桜の散る中を傘をさして歩いてゆくと、傘にたくさん花びらが張りついて、うれしくなる。ひとりでに乾いてはがれるまで、花びら模様の傘にしておく。

　桜のトンネルの中から、車体いちめん花びらでおおわれた車が、ゆっくり走ってくるのを見たこともある。

発火雨《はっかう》

二十四節気の一つ、清明節の四月五日ごろ、桃の花も杏も見事なころに、やわらかく静かにそそぐ雨のこと。「桃花《とうか》の雨」ともいい、「杏花雨《きょうかう》」ともいう。古来、中国では淡紅色に花ひらいた桃や杏の木に降りそそぐ雨景を、とくに愛でてきた。満開の花に覆われた木は、火を点じたように映るのだろう。

花時雨《はなしぐれ》

桜のころ、しぐれるように降る冷たい雨。時雨はさっと降ってさっと上がる気まぐれ雨だから、「花時雨」もまたさっと花を洗い、さっと去っていく風情であろうか。

花時《はなどき》の雨《あめ》

咲きそろった桜の花に降りかかる無情の雨のこと。花に嵐の譬《たと》えのように、この時季には強い季節風にあおられて烈しい雨が花を打つことがある。花たちにとっては辛い雨だ。

花《はな》の雨《あめ》

連歌・俳諧では「花」は桜の花であると同時に、春の花一般を指し、すべて華やかで生命力にあふれたものの象徴である。「花の雨」といえば、桜のころに降る雨であり、また桜の花そのものに降りかかる雨のことでもある。華やぎと寂《じゃく》たる風情とあいまって、古来より詩歌、能楽などの好材になって詠まれ、演じられている。

花の雨鯛に塩するゆふべかな　仙化

春雨《はるさめ》

雨脚がこまかく、烟るように降る春の雨のこと。「万葉集」に初見以来、古典から近代文芸に至るまで春の雨の代表格として登場する。「春の雨」という言い方は春のどの時季に対しても用いられるが、「春雨」は二月末から三月の晩春に用いられることが多いようだ。

春雨や小磯の小貝ぬるゝほど　蕪村

春時雨《はるしぐれ》

春の気まぐれ雨。時には雷をともなうこともあって、これが春雷《しゅんらい》。確かな春の合図である。「春雨」と書いて「はるしぐれ」と読む場合もある。

みちのくの
子の寒むがりよ春時雨
中村汀女

四季の雨
022
春の雨

春の氷雨

新聞の天気欄に「冬の冷たい雨やみぞれを氷雨と言い表すことがある。素っ気ないようだが、正式な気象観測の指針にはこの言葉の項はない。」（高橋則雄・「朝日新聞」二〇〇〇年一二月二二日夕刊）と書いてあった。正式な気象用語でなくて、感覚的な言葉であるなら、あの春の夜の雨も氷雨といいたい気がする。

　会社で一〇年以上も机を並べ、退社後も付き合いのあった一つ年上の男性が一昨年の三月初め、食道癌《しょくどうがん》のため五十五歳で亡くなった。死の前日、夫人から危篤の報を受け、病院に駆けつけると、「こんなに腫れてしまった」と言って、腫れあがった下肢を見せた。目は焦点を結んでいなかった。

　通夜にはみぞれまじりの雨が降った。東武東上線の駅から乗った葬儀場行きのバスは町並みを通り抜け、グラウンドのような演習場のような荒れ野のような暗がりを疾走していった。

　通夜の宴にはかつての同僚たちがそろった。その場にその人はちょっと席を外しているような感じで、しかし終始不在だった。

　翌日の告別式は晴れたが、寒さは去らない。前日喪服の正装で行って凍えてしまったので、いつものようにズボンをはいてあたたかくして出かけた。彼だったら、許してくれるだろう、そう思ったので。

春驟雨《はるしゅうう》

烈しく降るにわか雨「驟雨」は夏の季語なので、春季の場合は「春」を添えてつかい分けている。同意語に「**春夕立**」がある。

春《はる》の雨《あめ》

春の雨の総称。幅広い言葉ではあるが、「徒然草」でもゆかしく語られているように、昔から人びとは待ち望む春を心に、雨をながめてきたようである。

春之雨はいやしき降るに梅の花いまだ咲かなくいと若みかも　大伴家持

「いやしき」は「弥重き」で、いよいよ度重なる意。

春霙《はるみぞれ》

春に降る霙。春先の天気は気まぐれで寒暖が烈しい。降っていた雨が急に霙に変わったり、水分の多い牡丹雪が途中で霙に変わったりする。

春夕立《はるゆうだち》

夏の夕立のように烈しく勇ましくはない。夕立を降らせる積乱雲は午後から夕方にかけて発生することが多く、時に雷をともなうことがある。「春雷」である。「**春驟雨**」とほぼ同意。

万物生《ばんぶつしょう》

春の雨をいう。生きとし生けるものに新たな生命力を与えるということだろう。ものみな萌えいずるとき、しかし春はまた残酷な季節でもある。昭和十四年、詩人立原道造は、東京・江古田のサナトリウムの窓から青みはじめた麦畑を見つめながら、二十四歳の生涯を閉じた。「五月の風をゼリーにして……」とつぶやきながら。

彼岸時化《ひがんじけ》

春の彼岸に降る長雨で、そのまま菜種梅雨に入ることもある。「時化」は海が荒れること。荒れ模様の天候。

麦食《もぎく》らい 高知県長岡郡で、麦の穂が出る四、五月に降って、その生育を害する雨のこと。

山蒸《やまうむし》 中国地方山間部の言葉で、春先の木々の芽吹きをうながす霧や雨。

愉英雨《ゆえいう》 「英」は花の意。花を愉《たの》しませる春の雨。俳句の春の季語「山笑う」は、樹々の固い芽がやわらかくほどけるさまを言いえて妙。

雪解雨《ゆきげあめ》 雪を消す春先の雨。北国もこの雨が降れば春は目の先。雪を解かして田畑を目覚めさせ、木々の芽吹きをうながす嬉しい雨。「**雪消しの雨**」ともいう。

養花雨《ようかう》 花曇りのころに、春の花に養分を与えるように降る雨。そのころの天候を「養花天」という。「**育花雨《いくかう》**」と同意語。

沃霖《よくりん》 田畑の土を肥やす春の長雨。農家にとっては恵みの雨である。

立春《りっしゅん》の雨《あめ》 立春は節分の翌日、二月四日ころだが、その日に降る雨。平地ではそろそろ木々が発芽の準備に入る時季だが、寒さはまだまだ。見た目にも冷たさを感じる雨だが、しかし霙でもなければ、雪でもないのだ。

黒いレインコート

幼稚園のとき、私は誰かが着ていたレインコートと同じのがほしくてたまらなくなった。敗戦後六年くらいで、物資が大いに不足していたころだ。

母親にねだった。私は、祖母と墓参りに行くと、寺の前に露店が出ていて、菓子や玩具などを売っていたが、祖母が買ってやっぺ、と言ってくれても、顔を横に振るような子だった。ふところ具合を知っていたのである。かわいげのない子どもだった。

母親は、そんなものなくても、幼稚園は家から近えんだから、とか、誰ちゃんも何ちゃんも着てながっぺ、とか、この町には売ってねだから、とか言って私をなだめようとした。大泣きに泣いた。自分ではもう泣きやむことができなかった。

母がむりやり私を幼稚園にひきずっていった。泥にすわり込んで泣きじゃくる私を、幼稚園の窓からみんなが見ていた。

母は根負けして雨の中を、隣の町までバスに乗ってレインコートを買いに行ってくれた。帰ってくるまで、順子は泣いていた、と言う。強情ぶりに、感心してしまった、と後々まで呆れられた。

そのレインコートは黒の薄手のもので、私は気に入らなかったが、さすがにそれは口に出せなかった。何回も着なかったと思う。

ごめんなさい。

雨男と雨女

雨女の目が大きくなって
水たまりがどんどんできてくる
あっちにも　こっちにも
あの女　いくつ目があるのだろう
雨女のそばには
雨男がいて
憂鬱な青い顔をしている
雨男が片目をつむると
雨女は雨の髪を洗う
すてきなストレート・ヘア
濡れ髪に
紫陽花一りん

四季の雨

夏の雨

夏の雨

白雨《ゆふだち》にはしり下るや竹の蟻

内藤丈草

夏の雨の代表的なものは、梅雨（五月雨）と夕立であるが、梅雨が明けると本格的な夏の訪れといわれたりするので、盛夏の雨としてはまず夕立を挙げるべきだろう。

この句は竹に上っていた蟻が、夕立に驚いて、滑るように竹の稈《かん》をつたってくるありさまを詠んだもので、雨の激しさ、速さが蟻の姿となって活写されている。

夕立は急速に発達した積乱雲

（入道雲・雷雲）が降らせる強い雨で、多くは局地的である。ほんの少し離れたところの雲間から洩《も》れる日差しによって、雨脚が白く見えることから白雨ともいう。集中豪雨や雷雨となって災害をもたらすこともあるので、夏の風物とばかりも言っていられないことがある。普通は一時間ほども降れば止んで、辺りに涼気をもたらしてくれる。爽快な気分がみなぎる。

　長い梅雨や度重なる夕立は困りものだが、なんといってもいちばん困るのは日照りである。死活問題にもなる。そういうときに降る恵みの雨を喜雨といったりする。これも夏の季語であるが、類語はかなりある。雨の名前が多いということは、それだけ雨が人びとの暮らしにつながっているということである。

青時雨《あおしぐれ》　冬の季語である「時雨」に、青葉の「青」を付して、初夏の表情をだした言葉。青葉、若葉が目にしみるこの季節、その瑞々しい葉っぱからしたたり落ちるしずくを、時雨に見立てた風情のある言葉。

青葉雨《あおばあめ》　「目には青葉——」と愛でられる初夏の青葉を、いっそうつややかに見せる雨。薫る風は「青葉風」。このころの俳句の季語に「山滴《やましたた》る」がある。

汗疹《あせも》枯《か》らし　岡山市の言葉。裸で雨にうたれると、あせもが治るという夏の小雨。

一陣《いちじん》の雨《あめ》　夏のにわか雨。「一陣」はひとしきり。突然シャワーを浴びせられるように降り、すぐに上がる雨。「一陣の風」は突風である。

一発《いっぱつ》雨《あめ》　夕立のように、いっときサーッと強く降って、すぐに上がってしまう雨。夏に多い。

雨《う》濯《たく》

陰暦六月の雨。「濯」は洗う意で、みな洗い流してしまうほどに降る雨。派生語に「濯枝雨《たくしう》」。木の枝を洗うがごとき大雨の意。

卯《う》の花腐《はなくた》し

陰暦四月は「卯月」、「卯の花月」。春雨と梅雨の中間ごろであるが、そのころに降りつづく長雨のことで、卯の花が咲きたけて腐る時季に重なるところからきた言葉。歌語や季語になっているが、卯の花を散らす雨でもあるので、「**卯《う》の花降《はなくだ》し**」とすることも多い。

病み呆《ほ》けて
泣けば卯の花腐しかな
石橋秀野

梅時雨《うめしぐれ》

鹿児島県肝属郡で、梅雨のことをいう。

梅《うめ》の雨《あめ》

「梅雨」の異称。江戸時代に用いられたようだが、近代に入ると、「梅雨」の作例が急増していった。

木篇《きへん》をや水辺《すいへん》となす梅の雨
伊藤信徳

「水辺」は連歌・連句の用語で、水に関係のあるものの総称である。

雨乞いの歌

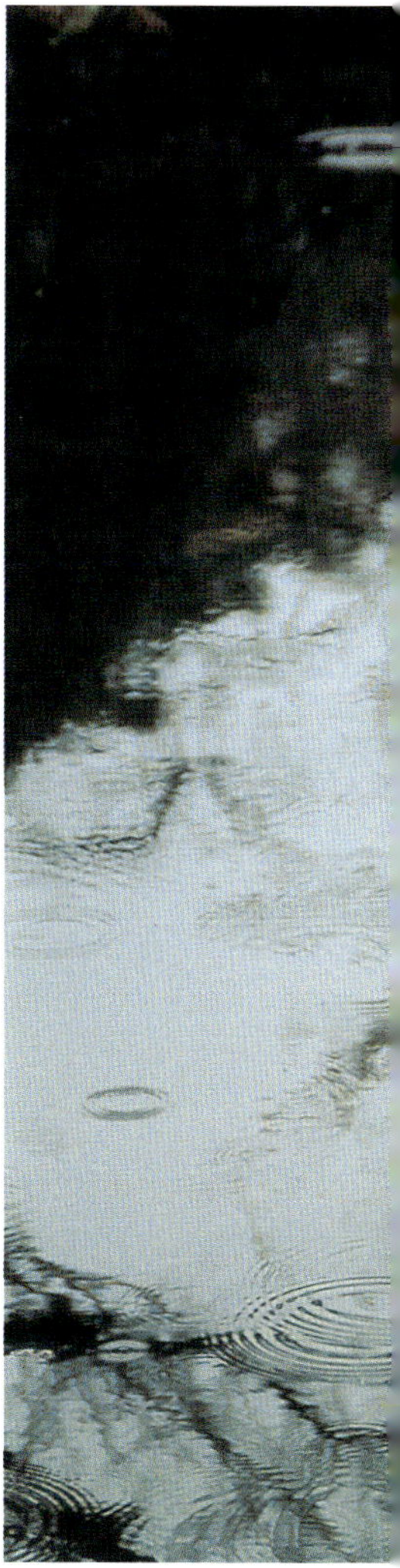

歌や踊りを神々に奉納するという考え方は江戸時代までは確実に残っていた。神々はよき技をめでられて、それに感応したまうのである。

　したがって日照りつづきのときには、神の御こころにかなうような雨乞いの歌がもとめられた。いくつか有名な歌がある。その一つは小野小町の歌で、「ちはやぶる神もみまさば立ちさはぎ天の戸川の樋口《ひぐち》あけたまへ」というものである。「天の戸川」と「雨の戸川」を巧みに掛けている。効果てきめんだった。後世「草子洗小町」「卒都婆小町」など七小町の伝説の一つに「雨乞小町」とあるゆえんである。

　この歌を原歌として、江戸時代に狂歌が詠まれた。「ことわりや日の本ならば照りもせめさりとてはまたあめが下とは」。

　芭蕉の門人に其角がいるが、この人にも雨乞いの句がある。「夕立や田を見めぐりの神ならば」。これは江戸向島の三囲《みめぐり》神社に吟行に行った折り、農民たちに雨乞いの句を所望されたのである。（田を）見めぐりの神という御名ではないか、それなら験《しるし》を見せよ、というのである。たちどころに（翌日という説もある）雨が降ったので、江戸中大評判になったということである。

大抜《おおぬ》け

山形県西置賜郡の言葉。夏、洪水になるほどの大雨。空が抜けるということだろう。

脅《おど》し雨《あめ》

東京都八丈島で、にわか雨のことをいう。雲上で雨師の童子がいたずらを仕掛けたか。「脅し」という言葉とは裏腹に、どこかユーモラスな響きがある。

御雷様雨《おらいさまあめ》

宮城県石巻で、にわか雨、夕立のことをいう。お天道さま、お月さま、雷さま……気象を神のサインととらえていた時代の残照だろう。

夏雨《かう》

「なつさめ」ともいうが、「かう」というほうが、暑さを吹き飛ばして、勇ましく降る響きがあって面白い。「夏雨《かう》人に雨《ふ》らす」ということわざがあるが、夏の雨が涼をもたらすように、苦しみのさなかの人に恵みをもたらす意。

かたばたあみ

沖縄県長浜地方の言葉。夏の局地的な雨だが、そう烈しくはない。

神立《かんだち》

神の示現の意で、雷、雷鳴を指す言葉だったが、雷は雨をともなうことが多く、夕立、雷雨のことをもいうようになった。地方によっては「かだち」「かんだちあめ」「おかんだち」などという。

旱天《かんてん》の慈雨《じう》

「旱」は日照り。日照りつづきだったところへ降る恵みの雨のこと。ここから派生して、困難なときに救いに恵まれること、また待ち望んでいたものがかなえられることをもいう。

喜雨《きう》

長い日照りの後に降る雨。慈雨。春から労を尽くしてきた農家にとって夏の干《かん》魃《はつ》は命とり。待ち望んだ雨が降ると、農家では近隣が寄り合って、「おしめり休み」「雨遊び」「雨祝い」「雨喜び」「雨降り盆」「雨降り正月」「雨降りどんたく」などといって、喜びを交わす風習が今でも各地各様に残っているという。土地によっては、酒肴をもうけるという。

在ることの
しばらく喜雨の音の中
長谷川素逝

あじさいの花は嫌いだったけれど

子どものころ、あじさいの花は嫌いだった。幼稚園の近くの池のほとりに、こんもりと群れ咲いていた。雨を吸って、不思議な生気をたたえている大きな花まりに、私は近寄ろうとしなかった。

それがいまは、あじさいの時期になれば、見に行きたいと思うようになった。雨を眺めるゆとりが出てきたころからだろうか。

いや、ゆとり、というよりは、緊張の糸が切れるようになった、と言ったほうがいい。糸が切れたところを雨の糸がやさしくつないでいる、そんなふうに放心している午後が訪れるようになって。

住まいの近くに白山神社があり、梅雨どきには境内はあじさいの花で埋まる。あじさい園のてっぺんから眺めると、いちめん青、紫の濃淡に薄紅色のさす風景である。

育てやすい花なのかどうか知らないが、近所の庭や駐車場の隅などにも、植わっている。道路一つへだてたところのあじさいは薄紅で、こちらは青が勝っている、などと見ているうちに、ある日、色が移っている。

群落もいいが、ぽつんと植えられた青と白の額あじさいが私はいちばん好き。

樹《き》雨《さめ》 「きあめ」ともいう。濃霧のとき、霧のしずくが森林の木の葉にたまり、それが大粒の水滴となって落下するもの。幹を伝って流れもする。

狐《きつね》雨《あめ》 日が照っているのに、降り落ちる小雨。「狐」は人を騙し、からかうという言い伝えからきた言葉だろう。同意語に「**狐の嫁入り**」「**天気雨**」「**日照り雨**」「**日照雨《そばえ》**」「**天泣《てんきゅう》**」などがある。

狐《きつね》の嫁《よめ》入《い》り 晴れているのに、パラパラと気まぐれに降る雨のこと。狐にとっては、こういう天候がよいお日柄なのだろうか。嬉しくもあり悲しくもあり、という嫁御寮の心情を、狐の行列に仮託した夢幻の景。

牛脊雨《ぎゅうせきう》

牛の背の片一方は雨、反対側には日が差しているという意味で、晴雨域をはっきり分けて降る雨をいう。同様表現に「夕立は馬の背を分けて降る」というのがある。

錦雨《きんう》

日照りつづきの後に降る慈雨、恵みの雨を高価な錦《にしき》にたとえたもの。そのありがたみ、畏敬のおもいが存分に表れている。

銀箭《ぎんせん》

「箭」は矢のこと。夕立の雨脚を光る銀の矢に見立てたのである。

銀竹《ぎんちく》

矢ではなく、竹のように見える銀の雨とは、大粒の烈しい夕立であろう。ここでいう竹は群生する篠竹の風情か。

くかるあまーみ

沖縄県池間地方の言葉。夏に降る、塩辛さを感じさせない雨。

貴船川の蛍

洛北を流れる貴船川に沿って歩いたことが二度ほどある。夏には清流に床《ゆか》几を置いて、床料理を供する店が何軒もあって、あそこで一度、鮎料理を味わいたいものだと思っている。ただ屋根のない床もあるので、雨が降ってきたらどうするのだろう。

自然の中といっても、手なずけられぬほど荒々しくはない、こまやかな情緒の感じられるたたずまいである。川烏が水をくぐり、笹の葉が風に揺れ、ちろちろと絶えず川瀬の音がしてい

る別世界である。

川沿いの立て札に和泉式部の歌が書かれていた。

「物思へば沢の蛍も我身より
あくがれ出づる魂《たま》かとぞみる」

この川に飛ぶ蛍を自分の身から遊離した魂のようだと思ったのである。まぼろしを見ているように放心して、歌人が蛍の飛ぶこの川のほとりにたたずんでのち、千年が過ぎた。

冬の貴船川も歩いた。このときは美しい牡丹鍋をつついた。座敷のガラス戸を時折しぐれがぬらした。

貴船口の駅のフォームに立っていると、木立のあいだに小さな虹がかかった。

薬《くすり》降《ふ》る

陰暦五月五日には薬草を採る風習があったところから、「薬日《くすりび》」と称された。この日の午《うま》の刻（正午）に雨が降ることをいう。その雨が竹の節にたまったものを神水ともいい、薬を作るのに用いられた。また雨のかかった薬草はよく効くと珍重がられた。

黒風白雨《こくふうはくう》

「黒風」は砂塵を巻き上げ、太陽を隠して辺り一帯を暗くするほどの旋風。「白雨」はそれが吹き荒れる中に降る大粒の夕立。

さづい

新潟県の言葉で、梅雨のこと。「さ」は「さみだれ」の「さ」、「つい」は「梅雨」あるいは「梅雨入り」から出たのではないだろうか。上越市では空梅雨のことを「**からさづい**」という。

五月雨《さみだれ》

陰暦五月ころに降る長雨、「さつきあめ」と同意。「**梅雨**」、「**皐月雨**」も同意。「さみだれ」は「古今集」以来用いられてきた雅語で、「梅《つ》雨《ゆ》」は俗語といえる。歌人たちは憂鬱な季節の雨を「さみだれ」とうたって、「小乱れ《さみだ》」に掛けて、恋の情緒を詠んだり、鬱々とした情感や述懐を込めたりした。俳諧のほうの「さみだれ」となると、一転して大自然の脅威に目をやることになる。

五月雨を集めて早し最上川　芭蕉

五月雨や大河を前に家二軒　蕪村

「五月雨」を詠んであまりにも有名な二句である。ともに水かさを増した川の豪壮な景観である。蕪村の句には人の営みの危機感もある。

山賊雨《さんぞくあめ》

群馬県の沼田市などできかれる言葉で、にわかにやってくる雷雨のこと。田圃《たんぼ》で稲を刈り取っていると、遠くで稲光がする。まだ大丈夫と思っていても、三束も作らないうちに降りだす雷雨。三束を音読みすると、「さんぞく」なので、ここから派生して「山賊雨」になったもの。また、ご飯やお茶漬けを三杯食べないうちにやってくるという意から、「**三杯雷**」という地方もあるそうだ。「**三束雨**《みつかあめ》」ともいう（宮澤清治『朝雨は女の腕まくり』）。埼玉県北葛飾郡ではこのような雨を「**三把稲**《さんばいね》」という。

さみだれストとさみだれ髪

「さみだれ」の「さ」は「五月《さつき》」の「さ」、或いは「早乙女」や「早苗」などと同じく田植えに関する「さ」、「みだれ」は「水垂れ」からだという説と、天気が悪いという意味だとする説、ほかにもいろいろあるようだが、美しいことばである。

「五月雨」と書いて「さみだれ」と読み、また「さつきあめ」と読む。陰暦五月ころに降り続く長雨のことだから、つまり梅雨のことである。「五月闇」は梅雨のころの夜が暗いこと、「五月晴れ」は本来は梅雨の晴れ間

のことを言ったが、いまは新暦五月の爽やかに晴れた日に言いたくなる。この「爽やか」ということばだって、本来は秋の気候に対してつかったのである。

「さみだれ」を私たちはふだんの暮らしではつかわなくなって、このことばが残っているのは、労働組合用語の「さみだれ式」くらいのものか。長期にわたって、断続的に打つストライキのときなどに「さみだれ戦術」などと称する。

むかしは物語や和歌などに、「さみだれ髪」とつかわれ、暑苦しげに乱れた濡れ髪を描写したりしたのだった。

つれづれと芦屋の海人《あま》の小櫛《をぐし》さす
さみだれ髪や干さで寝ぬらん
藤原家隆

慈雨《じう》

旱魃のときなどに田畑や山野をうるおす恵みの雨。夏の暑さに身体も心もぐったりしているところに降ってくる雨。転じて、万物をうるおし、育む雨。

新雨《しんう》

新緑のころに降る雨。

瞋怒雨《しんどう》

「瞋怒」は目をむいて怒ることで、烈しい雷鳴を轟かせながら降る豪雨のこと。中国の言葉。

翠雨《すいう》

色鮮やかな青葉をよりつややかにしてそそぎ降る初夏の雨。同意に「若葉雨」「緑雨」、そして「青雨」。雨も青い色に染まるかのようだ。

日照雨《そばえ》

日が照っているのに降る雨のこと。「そばえ」とは、ふざけること、戯れること。雅語でもある。ほかに「通り雨」「時雨」の意味としても使われる。

大雷雨《だいらいう》

けた外れに烈しい雷雨のこと。

田植雨《たうえあめ》　島根県美濃郡・益田市で、梅雨のこと。このころ雨中に紅色のぼかしを見せるのが合歓《ねむ》の花。この花の風情を悲運の美女「西施《せいし》」にたとえたのは芭蕉だが、農民はズバリ「田植花」と呼ぶ。あくまでも農事の目印である。

宝雨《たがらーめ》　秋田県地方の言葉。日照りのつづいた後に降る雨。「たがらー」というくぐもった響きに、渇水の後の喜びが踊る。

筍梅雨《たけのこづゆ》　もともと伊勢や伊豆地方の船乗りの言葉で、筍の出るころに吹く東南風のことだった。雨を多くともなうことから、筍が生えはじめるころに降りつづく長雨をいうようになった。「**筍黴雨**」とも書く。類語に「**菜種梅雨**」「**山茶花梅雨**」。

端的雨《たんてきあめ》　千葉県安房郡で、にわか雨、驟雨のことをいう。

墜栗花《ついり》　梅雨入りは栗の花が散り落ちるころと重なるところから、「**梅雨入り**」のことをいう。

尼どのの
柴折戸たたく墜栗花かな
雪丸

茅花流《つばななが》し　「茅花」はチガヤのこと。イネ科の多年草。春の植物だが、「茅花流し」は初夏の季語になっている。茅花の穂がほぐれるころ吹く南風のことだが、それにともなって降る雨のこともいう。

梅雨《つゆ》

夏至の前後、六月上旬から七月下旬にかけて降りつづく長雨のこと。中国長江流域、朝鮮半島南部、日本のみの現象である。「つゆ」の語源には諸説あるが、露けき時節だからとか、「潰《つい》ゆ」の義だとかいわれている。「梅雨」の字を当てるのはちょうど梅の実が黄熟するころと季が重なるため。中国には「黄梅雨」という言葉があるそうだ。ほかに「黴雨」と書くのも、黴《かび》がいちばん生えるのはこの時季だからである。詩歌史に「梅雨」「黴雨」が登場するのは、近世の俳諧からである。

梅雨の海
静かに岩をぬらしけり
前田普羅

一口に「梅雨」といっても、いろいろな雨の姿がある。

＊

青梅雨《あおつゆ》

木々の青葉をなお鮮やかに、色を濃くして降る雨。永井龍男に「青梅雨」という一家心中を扱った短編小説がある。服毒死ゆえに、糠雨の気配が恐ろしい。

暴《あば》れ梅雨《づゆ》

雷をともなって昼夜を問わず降りつづく集中豪雨。梅雨の後期に多く、河川の氾濫、堤防決壊などの災害につながる雨のこと。

荒梅雨《あらつゆ》

梅雨の後期になると、災害をもたらすほどの集中豪雨となることがある。「あれつゆ」ともいう。

蝦夷梅雨《えぞつゆ》

梅雨がないといわれる北海道でたまに見られる梅雨の現象。梅雨前線の抜け方によるが、とくに本州に近い道南地方で年によっては雨量が多くなるのを、あえてこう名付けた。

送《おく》り梅雨《づゆ》

雷をともなってひときわ強く降る梅雨の最後期の雨。これが上がると梅雨も終わり、夏到来といわれており、梅雨を送りだすというところからきた言葉。

男梅雨《おとこづゆ》

ザーッと烈しく降ってはサッと止むことを繰り返す明快、陽性型の梅雨。一時代前の快男児のイメージ。

女梅雨《おんなづゆ》

しとしとと長く降りつづく型の梅雨。一時代前のしとやかな女性のイメージ。

返《かえ》り梅雨《づゆ》

梅雨が明けたと思っていたら戻ってきたように、また二、三日降りつづく雨。「残り梅雨」「戻り梅雨」ともいう。

空梅雨《からつゆ》

雨が少なく、名ばかりの梅雨。干魃になりやすく、農家にとっては恐ろしい現象。都市の住民も真夏の断水や給水制限の心配がある。「乾梅雨」とも書くが、同意語には「旱梅雨《ひでりづゆ》」「枯梅雨《かれつゆ》」「涸梅雨《かれつゆ》」「照り梅雨」などがある。

走《はし》り梅雨《づゆ》

梅雨入りの前に見られる梅雨を思わせる天候。「前梅雨」「迎え梅雨」とも。

迎《むか》え梅雨《づゆ》

本格的な梅雨入りに先駆けて、二、三日降りつづくが、いったん止むことが多い。

蛙の天山祭

毎年七月十六日は福島県川内村の天山祭である。村の人たちが詩人草野心平のために、天山文庫をひらいた記念の日である。

文庫は高台に建てられた二階家で、前には十三夜という名の丸い池がある。心平さんは晩年よくここに滞在していられたという。

天山祭のときは、池の上に櫓を組み、その上に大太鼓を置く。枹《ばち》のひびきに合わせて、地元の人も、よそからの参加者も、池の周囲を踊り歩くのである。

踊りは正調を張る人たちが何人かいて、彼らの真似をしながらついて歩くのだが、これが難しくて、まごまごしているうちに一節終わってしまう。

数年前に訪れたときは、大雨だったので、会場は体育館に変更になった。青竹のぐい呑みでいただく「白夜《びゃくや》」（どぶろく）はあっても、戸外での解放感がない。でも雨のおかげで道中うれしく珍しいものに出会えた。

道路をゆく何十という小さな雨蛙の大群である。坂道が川のようになってしまい、そこを私たちに踏みつぶされそうになりながら、池や田圃から上がってきた雨蛙が斜め、斜めと逃げるように跳んでゆくのである。「りりる　るりり　るるるるりッ」と。

もう一つ素敵なことは、翌日、虹が見られたこと。畑から畑へ、しっかり足を踏みしめた大きな虹を見た。

天道雨《てぃだあみ》

鹿児島県徳之島・沖縄県鳩間島で、日照り雨、天気雨をいう。

電雨《でんう》

「電」は稲妻、稲光の意。夏、稲妻をともなって降ってくるにわか雨。ほぼ同意の「雷雨」は音を、この「電雨」は光を強調する。

天気雨《てんきあめ》

お天気がいいのに降ってくる小雨。「**狐雨**」「**日照り雨**」ともいう。このような雨を三重県志摩郡では「**あがり雨**」という。また群馬県佐波郡では「**天気雨**」というと、時雨のこと。

天泣《てんきゅう》

晴れわたった空から降る雨。遠くに流れていった雲からの雨が蒸発しながら降る現象というが、見えないくらいの薄い雲から降るとも考えられているそうだ。それはさておき、「天が泣く」とは一体いかなる人の命名か。

所降《ところぶり》
東京都八丈島の言葉で、夕立のこと。

土用雨《どようあめ》
四季ごとにある土用だが、今では夏の土用を指すことがほとんどで、この雨も夏の土用に降る大雨をいう。梅雨の終わりごろにあたり、まだまだ大雨の心配時期である。

土用時化《どようじけ》
兵庫県加古郡で、土用のころの悪天候をいう。

虎が雨《とらがあめ》
陰暦五月二十八日に降る雨のこと。「**虎が涙雨**」「**曽我の雨**」とも。この日、曽我兄弟が父の仇の工藤祐《すけ》経《つね》を富士の裾野に討ち果たし、兄十郎祐成《すけなり》も闘いのさなかに敵に討たれた。弟五郎時致《ときむね》も翌日処刑された。兄十郎の愛妾、大磯の遊女、虎御前が流す涙雨という。後世「曽我物語」として脚色され、広まった。

夜の音は恨むに似たり虎が雨　夏目成美《せいび》

夏《なつ》雨《さめ》　夏の雨。「なつあめ」「かう」とも読む。

夏《なつ》時雨《しぐれ》　「時雨」は冬の季語だが、夏に、静かに降ったり止んだり時雨のような降り方をする雨のこと。

虹《にじ》の小便《しょうべん》　徳島県で、日が照っているのに降る雨。天気雨。天空の壮麗さと人間くささとの交差する絶妙なネーミング。

梅雨《ばいう》

「つゆ」の異称。「ばいう」の呼び名は古く中国から日本に伝わってきたものである。中国では黄河と長江の間に位置する淮河《わいが》を挟んで南北の気候が異なる。南には日本と同様に梅雨のシーズンがあり、稲作に適しているが、北は比較的乾燥しており、麦作中心である。

＊

梅雨前線豪雨《ばいうぜんせんごうう》

梅雨末期にくる豪雨のことで、雷をともなうことが特徴。

陰性梅雨《いんせいばいう》

しとしとと降るこの雨は冷たく陰性の雨。低温の日がつづき、とくに梅雨前期の東日本に顕著で、冷害の原因になることが多い。対語は「**陽性梅雨**」。

送梅雨《そうばいう》

梅雨が上がるころに降る雨のことで、古く中国の江南でいわれた言葉。「**送梅**」ということもある。梅雨の前に降る雨は「**迎《げい》梅雨《ばいう》**」または「**迎梅**」。

陽性梅雨《ようせいばいう》

ザーッと降ったと思ったらサッと上がる陽性型の梅雨ながら、時に集中豪雨となって災害につながることも多い。西日本に顕著だが、梅雨の後期には東日本でも起こる。対語は「**陰性梅雨**」。

月山行

仙台に住んでいる友人の野家さん夫妻に同行をねがって、月山に登ることにした。

八月五日。晴天。友人夫妻は車のトランクから貫禄のある登山靴を出して履き替えた。私どもは前日デパートで買ったばかりの運動靴だ。

木道の両わきは黄や紫のお花畑。やがて石のごろごろした登山道になり、雪渓がひろがり、ところどころに池塘《ちとう》が光ってきた。

九合目、先頭を歩いていた連れ合いが浮き石を踏み、足首をひねっていきなり転倒、横腹を強打した。運動靴の軽さが裏目に出たようだ。それでも自力で起き上がれたから、よかった。起き上がれなかったら、ヘリコプターを頼むしかない。

「こんどは、裕子、先導しなさい」と夫の啓一さん。たのもしい夫婦である。

頂上の月山神社に参った後、下山の私たちは激しい夕立におそわれた。足元が不気味に光り、雷鳴が轟いた。

「あなた、眼鏡をはずして！」と裕子さん。

連れ合いは「バンドエイド、バンドエイド！」と叫んでいる。靴ずれだ。

しばらく木の葉のトンネルの下に四人身をひそめた。帽子の鍔からしたたり落ちる雨のしずくが、口に入ってくる。

連れ合いの怪我は結局、全治一カ月。肋骨が二本折れていた。猛暑の中をギプスをはめて過ごした。

梅子雨《ばいしう》 「梅子」は梅の実のこと。梅の実に降りそそぐ梅雨どきの雨そのものを指す。

梅霖《ばいりん》 「梅」は梅雨。「霖」は長雨。念の入った言葉である。

白雨《はくう》 夕立。にわか雨。雹《ひょう》のこともいう。「ゆうだち」「しらさめ」とも呼ぶ。太い雨脚や地を叩くしぶきに、薄れた雲間から日が差して白く見えるような雨。

麦雨《ばくう》 麦の穂が育ち実るころに降る雨。麦はこのころの雨をとくに嫌うので、呼び名は文学的だが、農家にとっては困った雨。

化雨《ばけあめ》 島根県隠岐島で、晴れているのに降ってくる雨、天気雨をいう。

初夕立《はつゆうだち》 その年初めての夕立。

婆威《ばばおど》**し** 長崎県南高来郡で、夕立のこと。庭一面に豆でも干していたか、あわてふためく婆の姿。爺は柴刈りに出ていて留守。おおらかな民話の世界を見るようだ。

半夏雨《はんげあめ》 夏至から十一日目、陰暦五月二十六日の「半夏生《はんげしょう》」のころに降る大雨のこと。この日には毒気が降るので青菜を食べるのを控えたり、前夜に屋外の井戸をおおったり、虫が生じるので、この日以後は筍を食べないなどといった俗習が各地にある。長崎県壱岐島では「**はげあめ**」という。「半夏のはげ上がり」ということわざがあり、このころは大雨が降ってもすぐに晴れ上がったりすることをいう。この大雨による洪水を「半夏水《はんげみず》」と呼ぶ。

それでもテニス

中学生のときに軟式庭球部に入っていた。対外試合では勝った記憶がなかった。それでもその後十何年も経って、世間がテニス・ブームに沸いたとき、ボール遊びの楽しさをもう一度と思い、知人のクラブにビジターとして連れていってもらった。

ところが軟式のやり方で硬いボールを大振りして打つものだから、たちまち手に豆ができて血がにじんだ。八十歳と六十歳のペアに負けて、がっかりした。八十歳のほうは自分の側に飛んできた球しか打たなかったのだが、こちらは走りまわったあげくに、空振りもしたものだから。

それでビルの屋上にあるテニス・スクールに行きはじめた。一つことを継続して行うということは努力がいるもので、もともと運動神経のない私だ、ついさぼりたくなる。自己都合で休めば、その分会費を損するわけである。そんなとき雨が降ってくれるのは、ありがたい。どうかしばらく止みませんように、などと思って空を見ている。

練習は嫌だが、ゲームをするのは好きな性分である。友人たちと公営の時間貸しテニス・コートを借りてゲームをしていたとき、ザーッと来た。またいつこのメンバーでテニスができるか分からない。そうだ、鞄の中に後でシャワーを浴びるときのためのシャワー・キャップが入っている。

いい思いつきだった。試合続行！

鉄橋の下で

連れ合いの仕事が一段落したときなど、江戸川や荒川べりを歩きに行く。私の仕事はわりと小刻みなので、忙しいといえば、年中忙しい。忙中閑あり、閑話休題。余裕をみせて出かける。

夏の一日、空模様が気になったが、「荒川土手」行きのバスに乗って出かけた。

河原では子どもたちが野球やサッカーをしている。土手には応援の母親たち。下の道を黙々と走りつづける人、自転車で犬を散歩させている人。ユリカモメの群。長い長い蟻の行列。

とくに見るべきものはないのである。川の意志のようなもの、風の透明感、大空の不分明さ、そんなものに向き合って歩いている。

と、見る間に黒雲が湧いて、辺りが暗くなってきた。やっぱりおいでなすった。大粒の雨がばらばらと降りかかる。あの鉄橋の下に避難だ。

橋桁の下にはダンボールの家があって、そこからはみだしている人の足が見えた。昼寝の最中なのか、びくともしない。雷鳴と電車の音が轟いた。

私はリュックの中から前夜冷凍しておいた茘枝《ライチ》を何個か取りだして、連れ合いにすすめる。冷たくて、甘い。

雨が止んだ。草の匂いと土の匂いが苦しいほどだ。

氷雨《ひさめ》　雹、霰《あられ》を指す夏の季語。けれども、冬の冷たい氷まじりの雨という現代の語感から、冬の季語としている歳時記もある。

分龍雨《ぶんりょうのあめ》　「ぶんりゅうう」とも。陰暦五月に降るにわか雨。急な大雨で、龍が別れて棲むからだというが、夫婦喧嘩か。だとすれば、なんとも壮大な眺めだ。

芒種雨《ぼーすーあみ》　沖縄県中頭郡で、梅雨をいう。「芒種」は稲などの芒《のぎ》を持つ穀物の種をまく意。二十四節気の一つで、太陽暦六月六日ころ。このころ種《たね》籾《もみ》を水に浸すと、籾が水を吸って一晩中「サワサワ」と音を立てる。薩南地方では、これを「捨松の乳泣き」といった。

水取雨《みずとりあめ》

「水」は田植えに必要な雨水のことで、五月雨、つまり梅雨のことをいう。

瞑怒雨《めいどう》

「瞑」は、暗い意。急に暗くなり、雷とともに降ってくる雨で、「**瞋怒**《しんど》**雨**《う》」と同意。

もらったあめ

沖縄県与那国島で、にわか雨、驟雨のこと。「もらった」の語に、急な雨も天からの授かりものとして嫌がらず、感謝している島人の大らかさが感じられる。

夕立《ゆうだち》

「ゆだち」とも。夏の夕方などに急に烈しく降ってくる雨のことで、ここで降っていても隣町では降っていないというような雨。昔から夕立は「馬の背を分ける」とか「牛の背の片側には降らない」などと、局地的な降りを面白くいう。「よだち」「**白雨**《しらさめ》」「**白雨**《はくう》」ともいう。長野県佐久郡では、浅間山の方角からくる夕立を「**浅間立**《あさまだち》」という。また愛知県知多半島では西南の伊勢のほうからくる夕立を「**伊勢むらだち**」、沖のほうからくる場合は「**沖むらだち**」という。

日立ランプ
サクラ学生服

淀雨《ゆどぅんあみ》

沖縄県で、梅雨や梅雨どきのことをいう。夜の闇が際立って深くなるのもこのころ。九州地方南部では、「河童《がらっぱ》どんの川下り」が始まる。甲高い異様な鳴き声が闇夜に川を下る。実はこれは河童ではなく、トラツグミの鳴き声なのだが、深い闇の中で耳にすれば、河童、さもありなんと思われる。

雷雨《らいう》

雷鳴とともに烈しく降ってくる急雨で、よく晴れた夏の日などに多い雨。雷除けのまじない「クワバラクワバラ」は、桑畑のような低い繁みに避難しなさい、という先人の知恵。また、菅原道真の領地桑原には落雷がなかったという説や、誤って農家の井戸に落ち、閉じ込められた雷神が自分は桑の木が嫌いだから桑原桑原と唱えたら、再び落ちまいと言ったからとの諸説がある。

涼雨《りょうう》

晩夏、一服の涼味をもたらして降る。気持ちもいいが、やや淋しさもある。

女二人の嵯峨野

竹藪にこまかい雨が降りそそぎ、一本いっぽんの竹の緑をいやましに明るくしていった。日本画の絵筆をおもわせる雨のやわらかさである。

叔母と二人、京都の嵯峨野を歩いたことがある。大正末年生まれの叔母はいまでも独身。結婚の対象となるべき男性たちが若いままで戦死を遂げた世代である。私はそのとき四十代前半でやはり独り身だった。結婚の話はあっても、後妻の口ばかり。「いなけりゃいないでいいじゃないの」と叔母は叩きつけるような口調で言っていた。嵯峨野の雨は頑なになりがちな女たちの心をぬらしていた。

叔母は数年前に、姪が誕生日祝いに贈った軽い紫の傘をさしていた。姪のほうは色気も何もないビニールの傘である。それでも雨の匂いをよろこびながら、春浅い大覚寺に参り、写経をすることにした。

大広間の畳の上に幾十もの机が並んでいる。写経用紙には点線で経の文字のかたちが記されている。別紙のお手本もあるのだが、点線の文字を筆でなぞるようになっている。人から強いられることが嫌いな私はそれに反撥し、勝手な運筆で手早く書き上げてしまった。叔母はまだ半分ほどのところを丁寧に楷書で書いていて、私は自分の愚かな合理主義を羞《は》じた。

雨が止んで池の水が静けさを取り戻した。

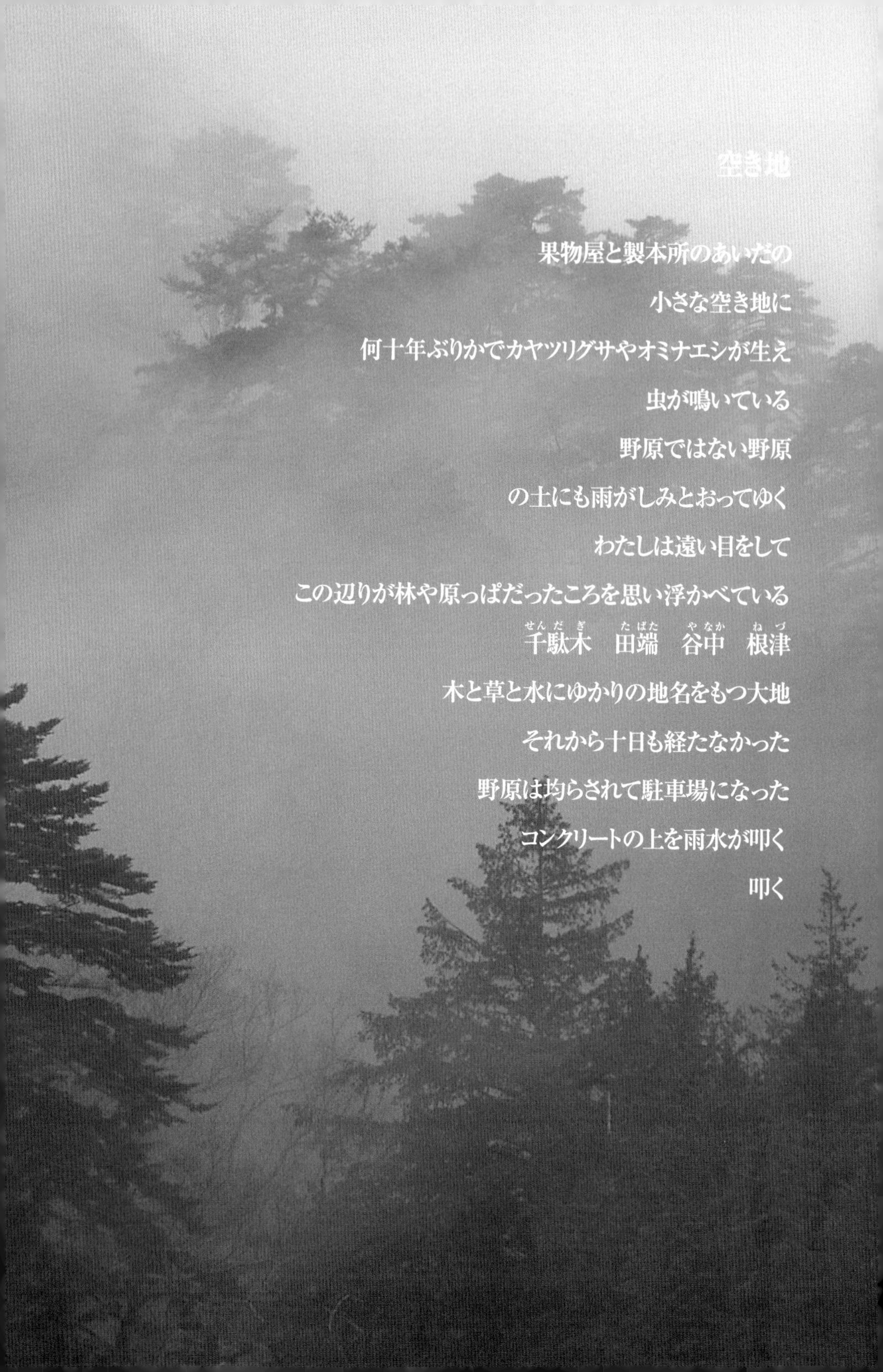

空き地

果物屋と製本所のあいだの
小さな空き地に
何十年ぶりかでカヤツリグサやオミナエシが生え
虫が鳴いている
野原ではない野原
の土にも雨がしみとおってゆく
わたしは遠い目をして
この辺りが林や原っぱだったころを思い浮かべている
千駄木《せんだぎ》　田端《たばた》　谷中《やなか》　根津《ねづ》
木と草と水にゆかりの地名をもつ大地
それから十日も経たなかった
野原は均らされて駐車場になった
コンクリートの上を雨水が叩く
叩く

四季の雨

秋の雨

秋の雨

秋の雨にしをれて落つる桐の葉は
音するしもぞ寂しかりける

西園寺実衡女《さねひらのむすめ》

風景が枯れ色を帯びている中に、霧にまごうような細かな雨がいつ止むともなく降りつづけるのは、なんとも寂しいものである。もう秋は深まっているのだろう。桐の葉が静寂を破って時折カサッと落ちる。

この歌は南北朝時代のものだが、「あきさめ」という言い方はこのころはしなかった。つかわれだしたのは江戸時代半ばころかららしいが、識者はこの言

い方を嫌ったようだ。春雨とはちがった情緒を大切にしたかったのか、或いは私見だが、「飽きる冷める」に通じるからか。「秋の雨に」という字あまりは、これが降りつづく雨であることを言外に匂わせる。だが「秋雨《あきさめ》に」だったにしても、悪くないと私は思う。S音が効果的だからである。江戸時代の識者に無念がられるところだが。

　暑さが去った後に、長雨が降りつづき、これらにも「秋湿り」「秋ついり」など美しい名が与えられている。そして台風の襲来である。これも「野分《のわき》」といえば美しい。やがて「時雨」。

秋微雨《あきこさめ》

「微雨《びう》」は霧のようにこまかい雨の意。夏の日差しにさらされた大地にしみ入るような雨。俳句の秋の季語に「山粧《やまよそお》う」があるが、それをうながすように降る。

秋さづい

新潟県佐渡の言葉。稲の収穫のころ降りつづく長雨。「さづい」は梅雨のこと。

秋雨《あきさめ》

「しゅうう」ともいう。秋の冷たい雨を総称していう言葉。秋の雨はよく詩歌の題材になるが、和歌では多く「秋の雨」と用い、一時期「もの寒く」「夕暮れ」などという背景をともなって詠まれた。現在では「秋雨」も「秋の雨」も両方つかわれている。

秋雨や線路の多き駅につく　中村草田男

秋時雨《あきしぐれ》

「時雨」そのものは冬の季語。晩秋に降る時雨。降ったり止んだりを繰り返しながら、山里に多く降る。冬近しを思わせる雨。

秋湿《あきじめ》り

秋のしとしとと冷たく降りつづく長雨。「秋霖《しゅうりん》」と同意。

秋驟雨《あきしゅうう》

秋のにわか雨、夕立などをいう。驟雨は夏のものだが、これに「秋」を冠してみると、どこか淋しい風情にもなる。

秋黴雨《あきついり》

秋の長雨。梅雨どきのようなこの雨は「秋霖」ともいわれるし、「**秋入梅**」と書いて同音に「あきついり」と読ませたりもする。梅雨前線とは逆に、日本列島を北から南へと移動する。

果てもなく瀬の鳴る音や秋黴雨　中村史邦

通草《あけび》腐《くさ》らし

新潟県佐渡ケ島の言葉。二、三日雨がつづくと山の通草が腐ってしまうところからいう。「あくびくさらし」とも。

伊勢《いせ》清《きよ》めの雨《あめ》

宮中行事の「神嘗祭《かんなめさい》」は陰暦九月十七日（太陽暦では十月十七日）、天皇がその年の新穀でつくった神酒《みき》と神饌《しんせん》とを伊勢神宮に奉納する祭りだが、その翌日に降る祭祀の後を清める雨。

御山洗《おやまあらい》 富士山麓地方の言葉。毎年富士閉山のころ、現在では八月下旬に降る雨のことで、「富士の山洗」ともいっている。

霧雨《きりさめ》 霧のようにこまかい雨粒が降りかかる雨。「きりあめ」「むう」とも読む。

霧時雨《きりしぐれ》 ちょっと降ってはすぐに止む時雨のような霧雨。

霧しぐれ富士をみぬ日ぞ面白き　芭蕉

このたびはあいにくの雨で富士の麗峰を拝めず、凡人ならば「残念」と過ぎるところを、俳聖芭蕉は雨もまたよし、としたたかに裏返してみせる。一期一会を旨とした旅の達人の真髄。

霧《きり》の小便《しょんべん》 長野県下伊那郡で、小糠雨のことをいう。「……の小便」という表現は、日本各地に残っている。遊行聖《ゆぎょうひじり》一遍上人の「尿筒《しとづつ》」を衆人が争って求めたという話がある。「小便は排泄物」という現代人には計りがたい何かが、先人たちにはあったのかもしれない。現に犬猫はテリトリーを尿で決める。

黄雀雨《こうじゃくう》

「黄雀」は雀。陰暦五月、一説に九月に降る雨。また同じ時季に吹く風を「黄雀風」ともいう。中国の伝説では、この風の吹くころ、海の魚が地上の黄雀になるといわれた。一方で陰暦九月六日から十日までの五日間は、「雀海中に入りて蛤に為る」といわれ、「雀蛤と為る」は秋の季語となっている。雀と海の生きものは互いの身体をある時季貸し借りするものらしい。

洒涙雨《さいるいう》

陰暦七月七日の七夕の日に降る雨のこと。牽牛と織女が逢瀬の後に流す惜別の涙とも、あるいは逢瀬がかなわなかった哀しみの雨ともいう。太陽暦の七月七日はまだ梅雨が明けていなかったりして、雨になる率が高いが、陰暦では晴れることが多い。陰暦に近い月遅れの七夕祭のほうが、主人公たちにとっては望ましいのではないか。「**催涙雨**」「**灑涙雨**《さいるいう》」「**七夕雨**《たなばたあめ》」ともいう。

秋霖《しゅうりん》

秋の長雨、秋の霖雨のこと。とくに初秋のしとしと降りをいう。「**秋黴雨**《あきついり》」ともいう。

秋霖の音のをりをり白く降る　素逝

引っ越しの夜

台風が接近しており、朝から雨だった。断続的に強い降りになる。あいにくこの日は引っ越しである。夕べは午前三時まで荷物をまとめていた。家財道具は少ないのだが、本が多い。連れ合いは小説家で、私は出版社勤めが長かったものだから――。本の嵩《かさ》は見た目以上のものがあるので、大抵後で追加料金をくらうことになる。

洋服箪笥を運びだしてもらっているときは、たいへんな雨風だった。横にした箪笥に斜めに雨が流れていた。傘をさすわけにはいかないので、人も物もずぶ濡れである。

家賃が払えなくなっての引っ越しだったから、連れ合いは意気が上がらない。この家にまだ暮らしていたかったのである。姿が見えないと思ったら、二階の座敷で出版社から届いた小説のゲラを読んでいた。

それでも夕刻には新居に古物が運び込まれた。体も疲労しているが、精神的にもがっくりきている。お酒が飲みたくなって、二人で傘をさして焼鳥屋に出かけた。

祭り提灯に灯がともって、夜の道はてらてら光っていた。神社のほうに歩いてゆくと、いつの間にか人込みの中にいる。それを割って次々に神輿が来る。泥だらけの子ども用の草履が片方、道に落ちていた。

蕭雨《しょうう》 「蕭」は、もの淋しい、の意で、しとしとと降りつづくもの淋しい秋の雨。明治から昭和にかけて活躍した画人川合玉堂に「彩雨《さいう》」という一幅がある。雨が山里を染めあげてゆく……墨絵に近い淡彩ながら、豊饒と寂寥が交差する佳品だ。

凄雨《せいう》 冷たい雨、すさまじい雨。「凄」はぞっとするほど寒いこと、ものすごいこと。

洗車雨《せんしゃう》 陰暦七月六日の雨。一説に七月七日の雨。牽牛が織女との逢瀬のために乗る牛車を洗う水が、雨となって降るという言い伝えがある。

洗鉢雨《せんばつう》 陰暦七月十六日に降る雨をいう。前日までの盆行事につかった鉢など道具類を洗ってくれる雨。年に一度の祖霊を迎え、送りだした後の安堵。

台風《たいふう》　北太平洋西部、フィリピン、日本、アジア大陸などを襲う熱帯性低気圧で、とくに強烈なものは九月の後半に多く、大規模な風水害をもたらすことがある。最大風速十七・二メートル以上の暴風雨である。気圧配置などの影響で、とくに雨が多い台風を「**雨台風**」という。カスリン台風（一九四七年）や狩野川台風（五八年）は雨台風だった。

鷹渡《たかわた》り　宮崎県東諸県郡で、鷹が南へ渡るという九月末ころの長雨をいう。

七夕流《たなばたなが》し　香川県仲多度郡で、七夕のころ降る雨をいう。

露時雨《つゆしぐれ》　露と時雨の意味でつかわれていたが、時代が下ると、冬の時雨に対して、秋の時雨を表すようになった。さらに、時雨の降ったような趣きのある露、というとらえ方もある。

露時雨仏頂面へかゝりけり　一茶

四季の雨
086
秋の雨

三びきのガマ

庭仕事をしようと枯れ葉の山にシャベルを突きたてたところ、異様なものが跳び上がった。冬眠中のガマ。わが家の前は車の通れない狭い道である。危険を避け、手をかけていない庭をもとめて、ここまでやって来たと見える。

　あたたかい雨の降る季節になると、早朝や夜分、玄関の前や私道の電柱の下にうずくまっているガマのすがたが見られるようになった。灯をもとめて飛んでくる虫をねらっているのである。

　雨の夜には必ずどこかから現れる。それも一ぴきではない。雄が二ひきに、雌が一ぴきいる。傘をさして彼らを見にゆくのが、このごろの連れ合いの夜の散歩である。白い腹をなでてやる。目の後方の耳腺には毒液がたまっているそうだが。

　連れ合いはそのうち彼らに名前を付けることを思いついた。体側に黄白色のラインが入っているスマートな雄は「飾磨《しかま》丸」、太めの雄は「飯岡丸」。飾磨というのは自分の古里で、飯岡は私のそれである。私はそれほど太めではないのだが。また雌のガマには「園女《そのめ》」と名付けた。芭蕉の女弟子で、彼女がふるまった鯛にあたって芭蕉は命を落としたといわれている。

　冬に入るまでしばらくの間はガマの動向が夫婦の会話になる。

なごの小便《しょんべん》 静岡県浜名郡で、霧雨のこと。「なご」は霧や、もやをいう。

鍋《なべ》割《わり》 兵庫県淡路島・広島県安芸郡・山口・徳島で、陰暦八月ころの長雨。天の鍋が割れて、水漏れがつづくような雨だろうか。

西《にし》上《あげ》 熊本県益城郡で、秋の長雨のこと。

猫《ねこ》毛《んけ》雨《あめ》 佐賀県唐津市などで、小雨。宮崎県日向で、霧雨のこと。ともにこまかな雨を猫のやわらかな毛にたとえたもの。

後《のち》の村雨《むらさめ》 「村雨」は降ったり止んだりを繰り返す雨のこと。『連歌新式』に、「村雨は四月、八月降る雨の名」としているところから、秋の村雨を表すために、「後の」を冠するようになった。端的に「**秋の村雨**」ともいう。

野分だつ夕べの雲の脚早み
時雨に似たる秋の村雨
京極為兼

白驟雨《はくしゅうう》

「白雨」というと雨脚白く降る夏の夕立のことだが、「驟雨」に「白」を付けると、断続的に烈しく降る秋の驟雨ということになる。この「白」は「青春・朱夏・白秋・玄冬」の「白秋」からきているのだろう。白秋といえば、大正・昭和期の詩人北原白秋が思い出される。その代表作『城ケ島の雨』の一節にある「利休鼠《りきゅうねずみ》の雨が降る」はあまりにも有名。

澎雨《ほうう》

「澎」は水勢のさかんなさま。洪水を引き起こしかねないほどに烈しく降る秋・冬の雨。

盆《ぼん》の雨《あめ》

陰暦七月十三日から十六日までのお盆のころに降るにわか雨のこと。現代のように週休二日制などのなかった時代の人々にとって、盆は年の後半の重要な休養のとき、そして降る雨に精霊《しょうろう》としばし語り合う至福のときでもあった。十六日に降る雨は「**洗鉢雨**《せんぱつう》」。「**盆雨**《ぼんう》」というと、大雨のこと。

冷雨《れいう》

冷え冷えと降る晩秋の雨。

御精霊雨《おしょろあめ》　陽暦八月十三日夕刻から十六日早暁にかけて降る雨のこと。九州南部地方での呼び名。この時期はちょうど月遅れの盆にあたることから、おそらくそれにちなんでの命名だろう。この地方では盆に帰ってくる先祖の霊を御精霊様《おしょろさま》と呼んでいる。

幻の「雨の名前」

一年のうちで最も精霊《しょうろう》の満ちあふれるとき、それは八月だ。六日の広島平和記念日をはじめとして、九日の長崎原爆祈念日、そして十五日の終戦記念日と続く霊祭りは、一筋に「盂蘭盆」へと収斂《しゅうれん》する。蝉時雨の中を精霊蜻蛉《しょうろうとんぼ》が群れなして飛ぶ、そんな光景も少なくなったとはいえ、天にも地にも精霊たちが満ちあふれ、雨と降る、一年に一度のラッシュタイムなのである。

その精霊（祖霊）を迎える三日間の儀式が盆。地方によってさまざまだが、九州南部地方山間のある集落でおもしろい風習に立ち会ったことがある。家ごとに質素な盆棚をしつらえ、朝夕灯明とともに膳を供えて故人を偲ぶ。このとき、膳の献立と同じものを里芋の葉に包み、盆棚の脇におく。いったいなんの呪《まじな》いか、という問いに古老の答えていわく「すけじろさんもひもじかろう、お裾分けじゃ」。「すけじろさん」とは「外精霊《ほかじょろ》」、つまり帰る家のない無縁仏のことだと知ったのは最近のことだ。「ほかじょろ」という呼び名をあえて「すけじろ」という個人の名前として聞きなした人の優しさとあの世へのまなざしが偲ばれる。この集落もご多分にもれず昭和四十年半ばに過疎となり、家も棚田も山野と化した。したがって「御精霊雨」という雨の名前もまた幻となった。

（この稿文責編集部）

中国の雨

雨の名前を探していると、しばしば中国に源を発する言葉に出会う。仏教、漢字、はては都の造営に至るまで、その多くを範として発展させてきた歴史からみれば当然のことだろう。写真の上と下段左は中国雲南省麗江の雨の光景。石畳や屋根の反りに違いがあるものの、日本の風景（写真下段右）とよく似ていてどこか懐かしい。

海辺の台風

沖のほうからたてがみを振り乱して迫ってくる波は、岸壁に激突して、何メートルもの高さにしぶきを上げる。ふだんは仔羊の群のような波頭を見せているのだが。

海岸にはひしゃげたように軒の低い家が多い。屋根には平べったい石をのせている。いずれも潮風対策である。私が少女時代を過ごした二階建ての家は、浜から家数にして二軒目だったので、もろに太平洋の潮風が当たった。

父が家中の戸という戸に、×印に板を打ちつけた。昼なのに、夜になった。学校は臨時休校である。停電。母と私と弟はろうそくの灯で、襖に大きく影絵の狐や犬を手指でうつしだして遊んだ。風雨の中に瓦や何かが飛んで、ぶつかり砕ける音が聞こえていた。

翌日は台風一過の晴天である。近所の二階建ての家の二階部分は、戸障子や壁や襖や家具がぜんぶ風にさらわれて、柱が四本だけ残って屋根を支えていた。あれでよかったのだ、戸が頑丈だったら、家が倒れていた、と大人たちは話していた。柱の間から青い海が見えた。

凍れ

「凍れ」
「凍れ」
絵本から低い声が聞こえてきました
おどろいて本を放すと　部屋の中はうす暗く
ガラス戸をたたきつける雨の音がしています
弟がびいだまの函をあけました
ばらばらとこぼれたびいだまは
凍った水玉でした
やみの中の目のようです
たくさんの猫ににらまれたような気がして
立ちすくんでしまいました
「凍った」
「凍った」
という声がふってきて
みぞれになりました
おかあさんはまだ帰りません

四季の雨

冬の雨

冬の雨

面白し雪にやならん冬の雨

芭蕉

冬枯れの景色の中に降る雨には、荒涼としたところがある。それが雪まじりになってくる。芭蕉は雪国の人ではないので、雪に変わりそうな気配を見て、難儀をするかもしれんという心配とは裏腹に、気持ちがはずんだのではないだろうか。

雪国の人たちは初冬の空から一ひら二ひら雪が降ってくると、「悪いものが降ってきました」と挨拶しあうようである。

初冬の雨の代表格は時雨である。日本海側の地方や山間部で降ったり止んだりする通り雨だが、その風情が無常感と結びついて詩歌の題材として好まれた。芭蕉の忌日は「時雨忌」と称される。

時雨は初時雨、朝時雨、片時雨、北山時雨など微細に区分けされるばかりでなく、雨以外のものにもその名が付されるほどの名雨といっていい。蝉時雨や蛤の時雨煮などは有名である。

年が改まって、晩冬、「小寒」から「大寒」に至るもっとも寒い時期に降る雨を「寒の雨」という。歳時記では、「冬の雨」よりも寒く冷たいとしているが、しかし気持ちの上ではもう春を待つ心が始動しているのである。

雨雪《あまゆき》

雨まじりの雪。霙も同じだが、水分がやや多めの語感がある。「雪雨《ゆきあめ》」というのは、雪まじりの雨で、春先に降るもの。

雨氷《うひょう》

過冷却された雨滴が地上の植物や岩石などに降りかかり、そのまま凍りついたものをいう。キラキラと光って見た目には美しいが、あまり多く付くと倒木にも至る。

浦西《うらにし》

富山県高岡市・京都府竹野郡・鳥取県で、雨や雪を運んでくる北西の風をいうが、京都府では時雨のことをもいう。

液雨《えきう》

初冬、陰暦十月に降る時雨。「小春」の異称のあるこの月は穏やかな好日がつづくことがある。そのころに降る暖かな雨を飲んで、虫たちは冬を越すべく巣穴にこもるので、「薬雨」「薬水」ともいった。

御降《おさが》り

元日、または三が日の間に降る雨や雪のこと。新年早々に降るこの雨は農家にとってはその年の豊穣につながり、ありがたいものであった。「**富正月**」ともいう。

鬼洗《おにあら》い

大晦日に降る雨のことで、「鬼やらい＝追儺《ついな》」にあやかってのものか。

解霜雨《かいそうう》

初冬に実を摘み取る蕎麦農家にとっていちばん恐ろしいのがこのころの霜であるが、それを防いでくれる雨のことをいう。

風花《かざはな》

初冬の晴れた空、風上の降雪地から、風に乗ってこまやかに舞い降りてくる小雪や小雨のこと。

風花のひかりつつ散る山の峡
こほりてかたき道をふみゆく
佐藤佐太郎

時雨と俳人たち

初しぐれ猿も小蓑をほしげ也

これは芭蕉の有名な句だが、群馬県の伊香保神社境内に句碑がある。「万葉集」で「伊香保風」とうたわれた上州の空ッ風が吹きまくっていたときに訪れたので、猿でなくても小蓑のほしいような日だった。まして初冬のころだったら、じきに止む時雨とはいえ、寒さがこたえるだろう。

時雨には通り過ぎてゆくもののもつ無常観と、身内のひきしまる寒さ、厳しさがある。

世にふるも
さらに宗祇の宿りかな

これも芭蕉の句だが、先人の連歌師・飯尾宗祇の「世にふるもさらに時雨の宿りかな」を踏まえている。「ふる」は「経る」と「降る」、それに「古る」を掛けている。この世に暮らすというのも、ほんの時雨の雨宿りのようなもの、と詠んでいるのである。それに共鳴したのが、芭蕉の句で、この句の中にも、見えない時雨が降っているのである。

蕪村もまたこれに唱和し、

蓑虫の
ぶらと世にふる時雨かな

の句を詠んだ。厳しい表情は薄らいで、閑居を楽しむ色合いになった。

時雨はこのように、詩歌の世界では身にしみる雨となっていったのだが、時雨の似合う漂泊の俳人といったら、種田山頭火か。

うしろすがたの
しぐれてゆくか

住友

寒《かん》九《く》の雨《あめ》

寒の入りから九日目に降る雨。この日に雨が降ると、その年は豊作だとの言い伝えがある。青森県八戸地方では真冬の雨を「**かんぐの雨**」といって、来るべき年が暖かいこと、豊作が予想されることのしるしとして、とくに喜ぶ。また、地方によってはこの日の雨を薬として飲む風習もあった。

寒《かん》の雨《あめ》

寒の内に降る雨のことだが、寒中に雨が降るのは、関東から西の地方に多く、「**冬雨**《とうう》」よりも冷たく厳しい語感がある。「**寒雨**《かんう》」は寒々と降る冬の雨のこと。

兄妹の焚火のあとの寒の雨　安住　敦

北《きた》しぶき

北から吹きつける、凍えるような冬の風雨。

山茶花《さざんか》ちらし

厳冬、白や淡紅色に咲く山茶花の花に降りかかり、散らしてしまう無情の雨。

四《し》温《おん》の雨《あめ》

冬の終わりの「三寒四温」。寒い日が三日、次に暖かい日が四日つづくとたとえられるこの時季の、暖かい日に降る雨のこと。

時雨《しぐれ》　晩秋から初冬にかけて、晴れていた空がにわかに暗くなり、はらはらと雨脚軽く、降っては止み止んでは降りを繰り返す通り雨。京都の風物詩として知られるが、日本海側に近い山間部でもよく見られる。時雨の名を添えた表情豊かな雨の名前がある。

＊

朝時雨《あさしぐれ》
晩秋から初冬の朝にわずかずつ降りみ降らずみを繰り返す時雨のこと。

磯時雨《いそしぐれ》
磯や波打ち際に降りそそぐ時雨。

片時雨《かたしぐれ》
一方には日が差しているのに、片方は時雨が降っている空模様。

十月時雨《かんなづきしぐれ》
陰暦十月に降る時雨。

北時雨《きたしぐれ》
北風に乗って降る時雨、または北の方から降ってくる時雨。

北時雨向うの山をいくめぐり
また里かけて降りいでにけり　岡 麓

北山時雨《きたやましぐれ》
京都の北山の方から降ってくる時雨をいい、晩秋から初冬にかけての京都の風物詩。

山茶花時雨《さざんかしぐれ》
色が少ない冬に紅い花を咲かせる山茶花。そのけなげな花に降りかかる時雨。

小夜時雨《さよしぐれ》
夜の時雨。

さんさ時雨《しぐれ》

江戸中期から祝いの席での歌として流行をみた仙台地方の民謡。「ションガイナ」というはやし言葉が入る。手拍子または三味線の伴奏が付く。「さんさ時雨か、萱野の雨か、音もせで来て濡れかかる」

月時雨《つきしぐれ》

月明かりの中を雨脚を白くしながら通り過ぎる時雨。

初時雨《はつしぐれ》

その年初めての時雨。いよいよ冬到来である。

山中の巌うるほひて初しぐれ　飯田蛇笏

冬時雨《ふゆしぐれ》

時雨は冬のものだが、とくに晩秋の時雨と区別したいときなどにいう。

ほろ時雨《しぐれ》

わずかに降る時雨。

村時雨《むらしぐれ》

ひとしきり烈しく降ってさっと通り過ぎてゆく時雨のことで、「叢時雨」「群時雨」とも書く。

村時雨羽根をすぼめて寒竹の枝にかすかにゐる雀かも　北原白秋

めぐる時雨《しぐれ》

「山廻《やまめぐ》り」といわれる降り方で、あちら側に時雨を降らせた雲が、今度は山越えしてきてこちら側に時雨を降らせること。

山時雨《やましぐれ》
山に降る時雨のこと。

夕時雨《ゆうしぐれ》
夕方になって降ってくる時雨のこと。「宵の時雨」とも。

雪時雨《ゆきしぐれ》
いつの間にか雪まじりになって降ったり止んだりを繰り返している時雨。大分県では、霙のことをいう。

横時雨《よこしぐれ》
横なぐりに降りつけてくる時雨。

夜《よ》の時雨《しぐれ》
夜にぱらつく時雨。

雨傘お化けのように

わが家の年中行事の一つに、お酉さま詣でがある。連れ合いが酉年生まれで、たいへん信心ぶかいのである。

鷲《おおとり》神社の境内を埋める露店には、大小の竹の熊手に、お多福の面や米俵、金銀の小判、宝船、打ち出の小槌、大福帳、鯛、稲穂などの縁起物の飾りを付けたものがテントの天井から並べられ、目を射る華やかさである。熊手で福徳を掻き集めようというのである。売り手がついたときには、威勢のいい掛け声と手拍子が起こる。

一昨年の三の酉は雨だった。三の酉とは、十一月中の最後の酉の日である。もう後がない。この日にお参りしなければ、福徳に縁がなさそうな気が半分ほどはして、善男善女とはいいながら、欲と道連れで神社への道を急ぐのである。

黒っぽい傘の群れが歩道を埋めた。熊手をもとめて神社へ向かう人と、お参りの済んだ人とが狭い道路にひしめきあい、その流れは時々いりまじり、とどまり、弾きあって、怖い思いをした。連れ合いに、もうあきらめましょう、と言っても返事をしない。

人とすれ違うときは、逆のほうに傘をかしげるのが礼儀である。しかしながら右にも左にも人がいる。一つ目小僧のように、傘をすぼめて、がむしゃらに歩く。

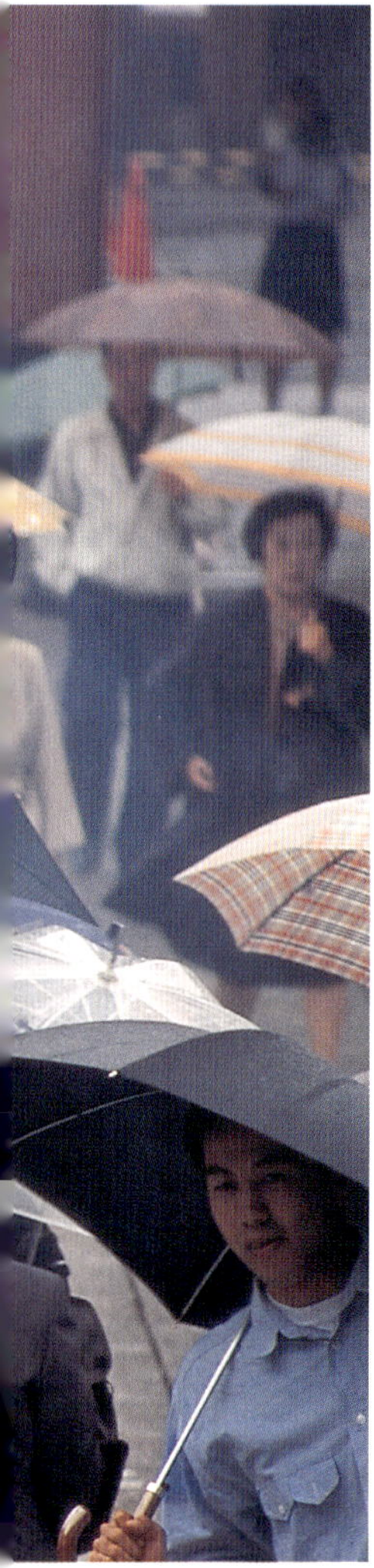

大根《だいこん》摺《ず》り

島根県八束郡で、霙。一面、大根をおろしたように見えるからか。だとすれば旬は過ぎたが、大ぶりのサンマでも求めようか。何によらず命名の妙は、対象にいかに深く寄り添うか、ということかもしれない。

冬雨《とうう》

冬の雨の漢語的表現。枯淡な水墨画の風合いか。このころの俳句の季語に「山眠る」がある。

凍雨《とうう》

凍りつくように冷たい冬の雨、霙。または降ってくる途中で凍結した小粒の氷片をふくむ雨のこと。

冬至《とうじ》雨《あめ》 冬至（十二月二十二日ころ）に降る雨。昼間の時間が一年で最短の日である。雨天の夕方はもう夜のようだ。しかし日の入りがもっとも早いのは、十二月上旬だそうだ。

時《とき》の雨《あめ》 秋、冬の雨を表す古語で「**時知る雨**」「**時の間の雨**」などともいう。

富下《とみさが》り 東京都八丈島の言葉。正月の雨をその年の豊穣に結び付け、富が降ってくるとの期待を込めた。正月の雨降りをめでたしとする縁起言葉で、「**御降《おさが》り**」「**富正月《とみしょうがつ》**」と同意語。

年末梅雨《ねんまつづゆ》 十二月に降る梅雨どきのような長雨のこと。

運《はこ》び雨《あめ》 すぐに通り過ぎてゆくような雨で、時雨や通り雨のこと。

あめこんこ

いまでもいくつかおぼえている幼児語がある。私に子どもがいたなら、もっと沢山思い出せるかもしれないが、残念ながら、私の中ではそれらは死語になったり、なりかけている。

「おべべ」（着物）、「じょじょ」（草履）、「ぽんぽん」（お腹）、「あんよ」（足）。「お手て」は片一方だけの手でも、お手々。「おぶ」（お茶）、「ねんね」（赤ちゃん）。これは下総方言だが、「のんのちゃん」というのは神さまのことである。

祖母が「あめこんこ、ふってきた」とよく孫たちに言った。私は雨が遠い空からこんこん降ってくるような気がしていた。

明治時代にできた文部省唱歌の中に、「雪やこんこ霰やこんこ……」と歌いだす「雪」という歌がある。この「こんこ」と語源は同じだろう。

小林一茶の連句を読んでいたら、「雹《あられ》来よ来よ山の連歌日」というのがあった。「雪やこんこ」というのは「雪や来ん来ん」だろうが、気分は「雪よ来よ来よ」だろう。

「雨こんこ」というのは、雨をよろこぶことばなのである。

浜崎あゆみ
AIRI
LOVE

氷雨《ひさめ》　凍るように冷たく、霙《みぞれ》や雪に変わる寸前の雨。もともとは雹《ひょう》、霰《あられ》を指す夏の季語だったが、現在では冬の季語としても通っている。「傘がないわけじゃないけれど帰りたくない……」と歌われる歌謡曲「氷雨」は冬の情景。

一切雨《ひときりあめ》　熊本県宇土郡で、いっときぱっと降ってすぐに止む時雨のこと。

水雪《みずゆき》　新潟県などで雨まじりの雪のこと。富山県では「みずたゆき」「めずえき」などという。

霙《みぞれ》　雪が解けかけて雨とまじって降るもの。「雨氷」と書いて「みぞれ」と読んでもいた。降雪期の初期や終期、大気の不安定な時季に見られる。

淋しさの底抜けて降る霙かな　内藤丈草

山廻《やまめぐ》り

向こうの山に雨を降らせていた雲がこちら側に廻ってきて雨を降らせる、山の時雨。謡曲に『山姥《やまうば》』という一曲がある。春は花、秋は月、冬は冴え返ってゆく寒さに、時雨を誘い雪をうながす……山姥の山廻りは、変幻する自然の相の擬人化だろうか。

夕霙《ゆうみぞれ》

昼間降っていた雨が夕方になって霙に変わったりする、その夕方の霙をいう。

雪雨《ゆきあめ》

雪まじりの雨のこと。霙。北の地方では晩秋に「雨雪《あまゆき》」といい、晩冬に「雪雨」といって、来るべき季節の予感を込めている所もある。

雪下《ゆきおろし》

新潟県で十二月中旬ごろに降る、風、雷をともなう雨をいう。雪を知らせる雷のことをもいう。

雪雑《ゆきま》じり

雪のまじった雨風のことで、「雪雑《ゆきまぜ》」ともいう。

屡雨《るう》

「屡」はしばしばの意。晩秋初冬に断続的に降る雨。にわか雨。村雨。「しばあめ」とも読む。

隠岐の雹

十二月初め、隠岐島へ向かうフェリーには、観光客らしいのは私どもだけで、後は地元の人が数人と役人のような人だけだった。浦郷の宿も私どもだけ。宿の人が、国賀海岸の摩天崖は二五七メートルもある、見ておくとよい、と言って、車に乗せてくれた。

人っ子一人いない山道で車を降ろされた。この道をまっすぐ行けばいい、と言われて。松がだいぶ松喰い虫にやられて、枯れているが、草原は青々と広がっている。しばらく行くと、赤毛のよく肥えた馬が放牧されていた。風と波の音しか聞こえない。目がくらむほどの高さの崖の上だ。

間もなく日が暮れようというのに、連れ合いはどんどん先へ歩いてゆく。「もう帰りましょう」と叫んでも、鬼にとられたかのように、一直線に遠ざかってゆく。

黒雲が湧きだして、とつぜん雹が降ってきた。幸い前方に小舎がある。そこへ駆け込むのが見える。

雹は大粒の雨に変わり、しばらくして止んだ。放牧の馬たちもいつの間にかいなくなった。宿の方角はどちらか分からない。辿りつけるのだろうか。暗くなった道を歩きはじめると、車が一台停まってくれた。フェリーの中で会った、役人風の人だった。

幕のように

何かが終わった日
日記帳のページとか
二十世紀
娘といっしょに暮らした日々
単身赴任
恋人と別れた日などに
雨が降るのはいいな
いままでいろいろあったけど
いろどりを添えてくれたものたちに
しずかな挨拶をして
お芝居のあとの幕のように
雨が降るのはいいい
と思っていたけれど
幕のほうが雨に似ている
お疲れさま
あなたには休養と水分が必要です

季《とき》知らずの雨

季知らずの雨

しみじみと雨降りゐたり山のべの
土赤くしてあはれなるかも

斎藤茂吉

富山県高岡市から氷見《ひみ》市へ至る氷見線に「雨晴《あめはらし》」という駅がある。氷見で詩のグループの合宿があったときに、そこを通った。お天気雨でも降りやすいところなのかしらん。富山湾は蜃気楼で有名なところだ。なにか信じられないものが漂っていそうな土地である。

雨の地名に興味をもった。手近なところで郵便番号を調べる「ぽすたるガイド」を繰ってみた。市町村名は網羅しているが、それより細かいものは掲載され

たり、されなかったりである。

当て字もあるかもしれないが、雨水のたまる窪地や谷間だろうと見当のつく地名には、「雨坪」「雨池町」「雨降野」「雨生沢」「雨沢」「雨田」「雨ケ谷」などがある。「雨山」や「雨森」は天候が変わりやすい山地をひかえているのかもしれない。

「雨宮」は、かつて雨乞いをしたお宮があったのだろう。「雨踊町」という名が富山県にあるが、雨乞いのための踊りからだろうし、奈良県の「雨師」には有名な祈祷師がいたのだろうか。

北海道には「雨竜郡雨竜《うりゅう》町」というところがある。辞書で「雨竜《あまりょう》」と引くと、大型で角はなく、トカゲ風、全身青黄色、雨を起こすという想像上の動物、と記されている。まだ地霊が生きていそうな町名だ。

雨の時間

朝雨《あさあめ》

「ちょうう」とも。朝の雨は海風と陸風のぶつかる前線付近で、局地的にわずかに降ることが多い。昼ごろには上がったりする。「朝雨に傘いらず」「朝雨、馬に鞍置け」「朝雨は女の腕まくり」などということわざがある。「女の腕まくり」というのは、腕をまくって洗濯をしようという意味とも、女の腕力など恐れるに足らず、という意味ともとれる。島根県八束郡では朝だけの雨を「**朝もだえ**」という。

朝《あさ》立《だ》ち

「朝雨」は小雨だが、これはまとまった、にわか雨。夏の夕方に降るにわか雨を「夕立」、夜降るのを「夜立ち」というのと同じ言い方である。「朝立ち」というと、ふつうは朝旅立つことだが、雨の名前でもある。

姉《あね》こ天《てん》気《き》

秋田県鹿角郡で、降ったり止んだり晴れたり、変わりやすい天気をいう。

一石日和《いっこくびより》

福岡市・宮崎県西臼杵郡で、降ったり晴れたり、天気の定まらない状態をいう。「降るごと降らざるごと」の「ごと」を「五斗」に掛け、五斗と五斗で一石という洒落である。尾州（尾張国）では「**一両日和**」という。

陰霪《いんいん》

「霪」は十日もつづくような長雨。気が滅入る雨である。「**霪淋**《いんりん》」「**淋霪**」「**滞霪**」ともいう。

淫雨《いんう》

長雨。とくに穀物に害を及ぼすような長雨をいう。

陰雨《いんう》

しとしとと降りつづく陰気な雨。「三国志」に、「三余」つまり読書に利用すべき三つの余暇は、「冬は歳の余、夜は日の余、陰雨は時の余なり」とある。

淫霖《いんりん》

「淫」も「霖」も長雨のこと。うっとうしく降りつづく雨。

淫潦《いんろう》

大雨にして長雨。「潦」は、雨水、たまり水、にわたずみ、長雨のこと。

丑雨《うしあめ》　丑の刻（午前二時ころ）に降りはじめる雨。一日中降るといわれる。「丑の雨」。

卯の時雨《うのときあめ》　卯の刻（午前六時ころ）に降りだす雨。すぐに止むといわれる。「子《ね》は長し、丑は一日、寅は半、卯は一時《いっとき》」というのは時刻と雨が降りつづくか否かをいっている。「卯の時雨に笠を脱げ」ということわざもある。

親方雨《おやかたあめ》　京都府竹野郡で、夜のあいだだけ降り、朝はからりと上がる雨をいう。大阪ではこのような天候を「親方日和《おやかたびより》」、逆に昼降って夜晴れるのを「やっこ日和」という。

過雨《かう》　にわか雨。通り雨。

佳《か》雨《う》　よい雨。よい雨とは降りどきを知っている雨である。目にも美しく映る。

嘉《か》雨《う》　喜ばしくめでたい雨。雨乞い後の雨もこの類いだろう。

風《かぜ》くそ　島根県簸川《ひかわ》郡で、風が止む前に降る雨のこと。島根県出雲市・能義郡では「**かざくそ**」。

風《かぜ》の戯《そば》え　「そばえ」とは戯れのこと。愛知県知多郡で、風にまじって降る小雨のこと。暴風雨の前兆という。島根県益田市・江津市・香川県大川郡では「**かぜそばえ**」といい、風にともなうにわか雨のことを指す。

騎《き》月《げつ》雨《う》　「騎月」は月越しの意。月をまたぐ雨。月末近く二十四、五日に降る雨は、翌月まで降りつづくこともあるといわれる。

気違《きちが》い雨《あめ》　気がふれたように降ったり止んだり、定まらない雨。天気雨のことを指す地方もある。

久《きゅう》雨《う》　久しく降っている雨のことだが、久しくといっても、日数ではなく、長時間というくらいの意。

急《きゅう》雨《う》　にわか雨のこと。類語に「**早雨**」。

暁《ぎょう》雨《う》　朝方に降る雨。「**あかつきあめ**」「**あかときあめ**」とも称する。

狂霖《きょうりん》　異常なほど長くつづく雨。

苦雨《くう》　作物の実りをさまたげ、人を苦しませるほどの長雨。「窘雨《きんう》」ともいう。

月日雨《げったんう》　その月の一日に降る雨。「月額雨《げつがくう》」ともいう。山口県地方には「朔日雨《ついたちあめ》は三日回り」という言葉があり、月の最初の日が雨だと、三日ごとに雨が降るという意味のようだ。

懸雨《けんう》　「懸」はかかる、ぶらさがるの意。急に降りかかる雨。

げんひち雨《あめ》　群馬県吾妻郡で長雨をいう。

好雨《こうう》　待たれていたときに降る雨。「いいお湿り」と人から喜ばれる雨。

恒雨《こうう》　「恒」は、つねに変わらないという意味であるから、ある時間、一定の強さで降る雨。

交月雨《こうげつう》　月越しの雨。「騎月雨《きげつう》」「過月雨《かげつう》」「翔月雨《しょうげつう》」ともいう。

甲子の雨《こうしのあめ》　「甲子」は十干十二支を組み合わせた干支《えと》の第一番目。「甲子《きのえね》の雨は六十日降る」といわれるが、六十日は干支が一周する期間であり、俗説である。

洪霖《こうりん》　「洪」は大水。「霖」は長雨。強い雨が数日にわたって降りつづけること。

こし雨《あめ》　しとしとと降る小雨。長雨。

五風十雨《ごふうじゅうう》　五日ごとに風が吹き、十日ごとに雨が降ること。風雨が時を得て、農作業に好都合なことから、転じて世の中がうまく治まっている意。「十日の雨土くれを動かさず、五日の風枝を鳴らさず」という類似のことわざもある。

すべって、ころんで

高校の校舎は小さな丘の上にあって、つたの葉がからまっていた、といえば聞こえはいいが、そこへ至る道が赤土の坂で、雨の日などは非常にすべりやすかった。靴も古くなってくると、ゴム底の刻みがゆるくなって、すべり止めの役をしなくなる。私は臆病者だから、抜き足差し足、へっぴり腰になる。たちまち重心を失ってころぶ。制服のひだスカートを泥だらけにしたことがある。

誰も憐れんでくれず、笑いものになって、みじめさは増すばかり。翌日になっても、「きのうころんだんだってね、アハハ」と隣のクラスのやつが笑いに来る。とりつくろわず、あからさまなところがあった。そんな年頃だったのかもしれない。

卒業してから数年後の日曜日、当時の級友と連れ立って、ふと母校のつたの葉を見にゆく気を起こした。坂はすっかり舗装されていた。

雨の日にころんだ思い出は、大人になってからもあった。会社の帰りに同僚と居酒屋に寄った。「ホッピー」という飲み物を初めて飲んだ。焼酎のビール割りみたいな味だった。冷えた天ぷらを食べ、大きなグラスに一杯飲んで、のれんを分けて外へ出た。途端に水たまりの中に尻餅をついた。それ以後「ホッピー」なる酒は飲んだことがない。

ここは車輌の離合場
所のため駐車しない
で下さい
叶子町
月極有料駐

地雨《じあめ》

強弱の変化がなく、一定の強さ、あるいは弱さで連続的に降る雨。いつ止むともない春雨や梅雨の場合である。温暖前線の付近では強く降るという。

駛雨《しう》

馬の走りを見るような、にわか雨。「北史」に「電光目を奪ひ、駛雨霑《うるほ》ひ灑《そそ》ぐを見る」とある。

時雨《じう》

しぐれのこともいうが、ほどよいときに降る恵みの雨のこともいう。「時雨の化」とは、雨が万物をうるおすような、徳をそなえた主君の教化のこと。

疾雨《しつう》

「疾」には、はやい、烈しい、の意味がある。「疾風」といえば強風であるように、「疾雨」は速い雨脚の、猛雨である。

繁雨《しばあめ》

にわか雨。村雨。「繁」は、しばしば、しきりに、の意。「柴雨」「屡雨」とも書く。

じぼたら雨《あめ》

和歌山市で、じめじめと降り止まない雨。

衆雨《しゅうう》

「衆」とは、多いという意。長雨。「修霖」「愁霖」も類似語。

宿雨《しゅくう》

連雨。「宿雲」は夜来の雲の意なので、前夜からの雨をもいう。唐の韓翃の詩に「仙台下に見る、五城の楼／風物凄々として、宿雨収まる」とある。

順雨《じゅんう》

順調に、ほどよく降る雨。「順風順雨」などとつかう。

霎雨《しょうう》

ひとしきり降る小雨。「霎々」は雨の音を表す。「一霎」「瞬霎」「吹霎」「数霎」「半霎」などのつかい方があるのは、雨冠に妾の字が感興をそそったのだろうか。

常雨《じょうう》

常に雨が降っていること。止まない雨はないのだから、誇張された言い方である。

迅雨《じんう》　「迅」は、はやい、という意味なので、急に強く降りだした雨のこと。

積雨《せきう》　連日降りつづく雨。

早雨《そうう》　にわか雨。「急雨」と変わらない。

叢雨《そうう》　「むらさめ」とも読む。「叢」には、くさむら、むらがる、あつまるのほか、にわかに、という意味がある。ひとしきり強く降り、止んだかと思うとまた降りだす雨。

漫《そぞ》**ろ雨**《あめ》　「漫ろ」には、なんとなく、はっきりした理由もなく、という意味がある。思いがけなくも降りだす雨。

たち雨《あめ》

栃木県安蘇郡で、にわか雨のこと。

旦《たん》雨《う》

「旦」は朝のこと。「**朝雨**」「**暁雨**」ともいう。

昼《ちゅう》雨《う》

昼の雨。

通《とお》り雨《あめ》

ひとしきり降って、間もなく晴れ上がる雨。にわか雨のこと。「**夕立**」「**驟雨**」は夏のにわか雨。

長《なが》雨《あめ》

幾日も降り止まない雨。「**霖雨**」「**淫雨**」も同様の意。古来詩歌では「ながあめ」を約して「ながめ」とし、物思いにふける意の「眺め」と掛けて用いられた。

花の色は移りにけりないたづらに
我が身世にふるながめせしまに
小野小町

七《なな》つ下《さ》がりの雨《あめ》

「七つ下がり」とは午後四時過ぎをいう。「七つ下がりの雨と四十過ぎの道楽はやまぬ」と昔からいわれるように、なかなか止まない雨である。

俄《にわか》雨《あめ》

急に降りだし、それほど待たずに止む雨。「**急雨**」「**通り雨**」「**驟雨**」もほぼ同意。

霈霖《はいりん》

「霈」は大雨、「霖」は長雨なので、災害が心配になる雨である。

走《はし》り雨《あめ》

「走り」は魚や野菜などでは、初物をいうが、雨の場合は本降りになる前にぱらぱらと来る雨のこと。梅雨入り前の、梅雨を思わせる気候は「**走り梅雨**」という。

晩雨《ばんう》 晩に降る雨。「**晩霖**」は晩に降る長雨。

肘笠雨《ひじがさあめ》 にわか雨。急に降りだしてしまい、笠の用意もなく、あるいは笠をかぶるひまもなく、肘を頭上にあげて、袖を笠の代わりにすることから名付けられた風流な名。「**ひじあめ**」ともいう。

一雨《ひとあめ》 一度の降雨。また、ひとしきり降る雨。

一《ひと》落《お》とし 鹿児島県肝属郡で、一降りの雨。

一絞《ひとしぼ》り 雨雲を一絞りしたのであろうか、ひとしきり雨が強く降ること。

不浄《ふじょう》流《なが》し 熊本県玉名郡で、祭礼直後に降る雨をいう。「不浄」は穢れていることをいうが、大小便や便所の意味もある。「**お糞流し**」などという雨の名前のある地方も。

暮雨《ぼう》 夕暮れどきの雨。唐の杜牧の詩に「古廟、陰風の地／寒鐘、暮雨の天」とある。

盆雨《ぼんう》 大雨。天上の盆をひっくり返したように、短時間降りつのる雨。「**翻盆雨《ほんぼんう》**」も同意。

朝の雨

「雨だったら中止」という約束は気がもめる。ピクニックや、山登りをしようというときだ。私などの山登りはファミリーコースや遊歩道がそなわっている山でなくてはおぼつかない。体と心を楽しませるためなので、雨で冷たい思いをしたり、濡れた道で足を滑らせる危険はあらかじめ回避したいのである。

当日の朝、とんでもない早い時間に電話が鳴る。まだベッドの中だ。

「雨降ってるよ」

「あらあ。どのくらい」

若いころ、団地の九階に住んでいたので、雨の音が部屋の中ではまったく聞こえない。カーテンを開けると、むかし古い映画の画面に降っていたような雨が空中に煙っている。雨に素通りされているような気分。

「止みそうもないよ」

「そうね。残念。じゃあ、また」

もう一度布団の中にもぐり込む。

私に登山家の友達が一人いる。山行の日には、雨が降ろうが槍が降ろうが、必ず待ち合わせ場所に全員が集合する決まりだそうだ。そこでリーダーが、決行するかどうか判断する。「朝雨に鞍置け」というように、すでに雨があがっている場合もけっこう多いそうである。

不動明王

まばら雨《あめ》　戯れのように、ぱらぱらときて、すぐに止んでしまう雨。「**疎雨**《そう》」ともいう。

村雨《むらさめ》　にわか雨のこと。「**叢雨**」「**群雨**」とも書く。「歳時記」には掲載がないので、無季として扱われており、詩歌で季感を添えたいときは「夏の村雨」といったり、「村時雨」としたりしている。「**小村雨**《こむらさめ》」は、はらはらと降ってきて、すぐに止む村雨。

村雨の露もまだひぬ真木の葉に
霧立ち昇る秋の夕暮れ
寂蓮法師

夜雨《やう》　夜の雨。唐の李商隠の詩に「君、帰期を問ふも、未だ期有らず／巴山の夜雨、秋池に漲《みなぎ》る」とある。

夜春《やしゅん》　夜の雨のこと。

夜来《やらい》の雨《あめ》　昨夜以来降りつづいている雨。

遣《や》らずの雨《あめ》　客や恋人の帰る刻限になって、引き留めるかのように強く降りだす雨。「留客雨《りゅうかくう》」は同じような意味の長雨。

夕雨《ゆうさめ》　「せきう」ともいう。夕方の雨。

夜上《よあ》がり　夜のうちに雨が止むこと。山口県の言葉。「夜上がりは再び雨が近い」ともいわれる。

宵《よい》の雨《あめ》　日没から間もない時刻に降る雨。「宵雨《しょうう》」とも。

夜雨《よさめ》　夜の雨。

昨夜《よべ》の雨《あめ》　前夜に降った雨。

夜半《よわ》の雨《あめ》　夜更けの雨。

霖雨《りんう》　長雨。「春霖雨《はるりんう》」は春の長雨、「秋霖雨《あきりんう》」は秋の長雨。「倭名類聚抄《わみょうるいじゅしょう》」という平安時代に成立した一種の辞書によると、「霖」は長雨を意味し、「雨久しきを苦雨と曰ひ、三日以上雨也」と記されている。長雨とは三日以上つづく雨だとする共通理解が平安時代には成立していたようだ（宮尾孝『雨と日本人』）。

淋雨《りんう》　長雨。「霖雨」と同意。

霊雨《れいう》　霊妙な雨。人々の望むときに降る恵みの雨。

連雨《れんう》　何日間も降りつづく長雨。「連霖」ともいう。「宿雨」も同意。

雨の力

雨《あめ》こ　青森県で弱い雨をいう。秋田県では「あめっこ」。

雨礫《あめつぶて》　「礫」は小石のこと。石ころのような大粒の雨ということだが、濡れるというよりは、当たるといった感じの烈しい雨。

あらこと　鳥取県八頭郡で、暴風雨のこと。

主従雨《あらぶりのあめ》　烈しい雨。主従ともどもドドドッと駆け込んでくるようなイメージか。

大雨《おおあめ》　ひどく降る雨。『改訂版NHK気象ハンドブック』によれば、一時間に二〇～三〇ミリ未満の降水量でもって、所により大雨《おおあめ》注意報が出、三〇～五〇ミリ未満でやはり所により大雨警報が出るという。「日本書紀」では「大雨りて」を「ひちさめふりて」と読む。「ひち」は「漬《ひ》つ」の連用形か、あるいは泥《ひじ》の意味かともいう。また「大雨」の読み方は「ひちさめ」から「ひっさめ」「ひさめ」と変化していったともいう。

大荒《おおあ》れ　暴風雨。台風のときの天候である。

大車軸《おおしゃじく》　「車軸」のように雨脚の太い雨。新潟県南蒲原郡でいう。

大降《おおぶ》り　強く烈しい雨。反対語は「小降り」。

お湿《しめ》り

乾いていた空気や地面を適度にうるおしてくれたと感じるような雨。

男《おとこ》降《ぶ》り

男振りといえば、男の風采である。一時代前は剛直な印象が男性的といわれたものだった。そこから、大粒の強い雨をいう。「女降り」という言葉は見当たらないが、「女梅雨」というのはある。これも一時代前の世間通念をあてはめ、いつまでもめそめそして、ふっきれない感じのこと。「男梅雨」は陽性の梅雨で、降るときは強く降り、からっと上がり、また降るといった型を指した。

片《かた》降《ぶ》り

局地的な雨。ある場所では雨が降っているのに、隣り合った所では降っていないというようなことがある。「片雨《かたあめ》」「私雨《わたくしあめ》」とも称する。

門掃位《かどはきぐらい》

岡山県苫田郡で、埃をしずめる程度の微量の雨をいう。

鬼雨《きう》

鬼のしわざかと思われるような、並外れた大雨。

きーぶーりあみ

煙雨と書く。小糠雨のこと。沖縄県黒島の言葉。

傘を届けに

子どものころから私はうっかり屋の、上の空で、しょっちゅう忘れ物をする。傘は一日に二度忘れたことがある。懲りないのである。帽子や上着、手袋は申すに及ばず、文学賞の賞金二百万円、銀行のカード、カメラやバッグも置き忘れたが、金目のものは幸いすぐに手元に戻った。

　私が出かけるときには、父親が「時計、眼鏡、財布！」と声をかけてくれていたのだが、いまは連れ合いが「時計、眼鏡、財布、切符、カード！」と叫んでくれる。「持った、持った」と言いながら、確認せずに忘れることがある。

　連れ合いときたら、まず物を忘れたことがない。物に執着しているのかといえば、そんなこともなくて、重い物を持つのは嫌がるし、物のあふれた暮らしもいとうのである。そういう人は、雨が降りそうなときでも、傘を持って出かけることをしない。

　濡れて帰ってもいいと思うのだろうが、こちらは、ずぶ濡れでうらめしそうな顔をして帰って来られても、と思って、帰りの時間や道の見当がつくときは、傘を届けにゆく。神社の中の池のほとりをうつむいて歩いて来るのに出会ったりする。その足で、餃子を食べに行ったりして。

強雨《きょうう》 短時間のうちに烈しく降る雨。「強風雨《きょうふうう》」は、それに強い風がともなうもの。

洪雨《こうう》 「洪」は、おおみずの意。洪水を引き起こしかねないほどの大雨。

行雨《こうう》 ひとしきりの雨。楚の宋玉は「高唐の賦」で「行雨夢に一婦人を見る。曰く、妾は巫山の女なり。行雨去りて辞して曰く、妾は巫山の陽《みなみ》、高丘の阻に在り。旦《あした》には朝雲と為り、暮には行雨と為り、朝朝暮暮、陽台の下にありと」と、神女の霊妙な美しさをうたった。

豪雨《ごうう》 強く降る大雨。梅雨末期に発生することが多く、洪水や崖崩れなどを引き起こし、多数の被災者を出すこともある。局地的な場合は「集中豪雨」と呼ばれる。

小雨《こさめ》 わずかに降る雨。「しょうう」とも読む。「**小降り**」「**微雨**」と同意。

ごず降《ぶ》り 岩手県気仙郡・平泉で、豪雨のこと。

小糠雨《こぬかあめ》 音もなく降る小さい水滴の雨。「**糠雨**《ぬかあめ》」ともいう。「親爺の小言と、小ぬか雨はあとで効く」ということわざがある。大したことはないと思っていても、後で身にしみてくるのである。

細雨《こまあめ》 「さいう」とも。こまかい雨。**霧雨**。**密雨**《みつう》。

ころど雨《あめ》 岩手県気仙郡で、局地的な雨をいう。

ざぶり　京都府竹野郡・岡山県南部・宮崎県東諸県郡で、強いにわか雨。

残雨《ざんう》　降り残りの雨のこと。名残りの雨といった趣きで用いられることもある。

ざんざ降《ぶ》り　ざんざんと強く降る雨。擬音的表現。

時化降《しけぶ》り　静岡県浜名郡で、強風をともなった雨。「時化」は海が荒れることだが、地方によっては、長雨とくに梅雨を指す。

篠突《しのつ》く雨《あめ》　「篠」は稈《かん》が細く群がって生える竹。その束を突き下ろすように、勢いよく烈しく降る雨。

啓蟄《けいちつ》に篠つく雨の降り注ぎ　虚子

柴榑雨《しばくれあめ》　「榑」は雑木を伐ってつくった板。それを筏《いかだ》に組んで、大雨で水を増した川に流す情景から生まれたという言葉。強い大降りの雨。

繁吹《しぶ》き雨《あめ》　しぶきとなって降る雨。滋賀県彦根・島根県石見では、強風で斜めに降る雨、吹き降りをいうが、和歌山県日高郡では、小糠雨をいう。

しぽしぽ雨《あめ》　新潟県で、しっとりと降る雨。佐渡には「しょぼしょぼ雨」、群馬県吾妻郡には「しぶしぶ雨」という表現がある。いずれも同様の雨だろう。

少雨《しょうう》　少量の雨。また、雨が少ないことをもいう。反対語は「多雨」。

深雨《しんう》　「深」は、ひどく、はなはだしい意。ひどく降る雨。

甚雨《じんう》　「甚」は、はなはだしい意。ひどく降る雨。

疎雨《そう》　「疎」は、まばらなこと。ばらばらとまばらに降る雨。

大粒の雨。

滝落し《たきおと》
　滝の水が流れ落ちるような、すさまじい雨。

たて洪水《こうずい》
　山梨県で、豪雨のこと。「たて」は縦だろうか。

注雨《ちゅうう》
　大雨。「雨注」は雨が、あるいは何かが雨のように、降りそそぐ意。

鉄砲雨《てっぽうあめ》
　鉄砲の弾丸のように、烈しい勢いで降ってくる大粒の雨。

土砂降り《どしゃぶ》
　烈しい大粒の雨。土砂をはじき飛ばすくらいに強く降る、というイメージからか。

殴《なぐ》り雨《さめ》
　岐阜県飛騨で、横殴りの雨。

沛雨《はいう》
　さかんに降る雨。「沛然と」という形容があてはまるような雨。「霈雨《はいう》」ともいう。「沛」も「霈」も大雨のこと。「霈沢《はいたく》」も同意。

飛雨《ひう》
　風に吹き散らされる雨。

風雨《ふうう》
　強風をともなった雨。「吹き降り《ふぶ》」ともいう。

降り物《ふもの》
　連歌・連句の用語で、雨・雪・霙・霰など、天から降ってくるものの総称。たとえば雨の句に、同じ降り物である霙の句を付けるのを嫌う、などとする式目（決まり）がある。

片雨《へんう》
　一片の雨ということだから、局地的な雨である。「夕立」は夏に降る片雨である。「私雨《わたくしあめ》」「外持《ほまち》雨《あめ》」「帆待雨《ほまちあめ》」も同意。

滂沢《ぼうたく》

「滂」は水勢のさかんなさま。大雨のこと。

暴風雨《ぼうふうう》

烈しい風をともなった大雨。台風や発達した低気圧、季節風の影響によって生じる。各地に被害をもたらすような気象状態である。

外持雨《ほまちあめ》

局地的に降るにわか雨。「帆待雨」とも書く。「ほまち」とは、主人に内密で家族や使用人が開墾した田畑、金のことをいう。臨時収入や役得のように、限られた所だけに降る、不公平に見える雨である。

本降り《ほんぶり》

本格的に降りだし、なかなか止みそうにない雨。「本降りに成つて出て行く雨やどり」は、誰しも身に覚えのある、よく知られた川柳である。

八重雨《やえあめ》

七重八重に降りしきる雨。

横雨《よこあめ》

風が強くて、横殴りに降る雨。新幹線の窓をたたく雨はほとんど水平方向の横雨である。「横方雨《よこさまあめ》」「横吹雨《よこしぶき》」「斜雨《しゃう》」ともいう。

零雨《れいう》

「零」はこぼれ落ちること。パラパラと静かに降る雨。「微雨」ともいう。

私雨《わたくしあめ》

限られた区域に降る雨。とくに有馬、鈴鹿、箱根などの山地に降るものが知られている。「片雨《へんう》」「外待雨《ほまちあめ》」「我儘雨《わがままあめ》」ともいう。

箱根山関もる人も朝ぎりの
わたくし雨にあざむかれつゝ
香川景樹

雨の音

「ぽっぽつ」「ぽつりぽつり」「ぱらぱら」「しとしと」「ザーザー」「ザンザン」……

私たちは雨の音をこんなふうに聞く。詩人たちの耳は雨をどのようにとらえているだろうか。先年亡くなった山田今次さんに「あめ」という詩がある。一部紹介すると、

　ふる　ふる　ふる　ふる
　ふる　ふる　ふる　ふる
　あめは　ざんざん　ざかざん
　ざかざん
　ざかざん　ざかざん
　ざんざん　ざかざか

というような詩である。「ふるふる　ふる　ふる」と降っているときは、まだ小雨である。それが「ざんざん　ざかざか」となると、本降りである。雨のほうも調子にのってくるようだ。

岸田衿子さんの「いろんな　おとの　あめ」というのも面白い。これも部分だが、

　こいぬの　はなに　ぴこん
　こねこの　しっぽに　しゅるん
　かえるの　せなかに　ぴたん
　すみれの　はなに　しとん
　くるまの　やねに　とてん

というふうに、雨をうけるもののかたちや質感がじつによく表れていて、大人が読んでも楽しい。

雨のいろ

雨筋《あますじ》　雨が糸を引いているように見える雨。「雨糸《うし》」「糸引《いとひ》く雨《あめ》」も同意。

天津水《あまつみづ》　天の水。古語で雨のこと。

暗雨《あんう》　闇夜あるいは暗がりに降る雨。

硫黄《いおう》**の雨**《あめ》　黄色い雨の正体は赤松の花粉だった。明治のころにあった東京での話。

糸雨《いとあめ》　糸のように細い雨。「いとさめ」「しう」とも。

雲雨《うんう》　雲と雨とをいう。また「三国志」に「蛟竜雲雨を得る」とあるが、力量を発揮する機会を得ることをいう。さらに宋玉の「高唐賦」に「旦《あした》には朝雲と為り、暮には行雨と為す」という一節から「雲雨」をもって、男女の契りをいう。

簷雨《えんう》　「簷」は、のき、ひさし。軒端からしたたり落ちる雨。「檐」とも書く。

御庭洗《おにわあらい》　祭の後に降る雨。「御庭」は神社の境内だろう。神輿が繰りだしたりして砂埃が上がったのを、雨が洗い清めるのだ。

快雨《かいう》　さっぱりと気持ちのよくなるような雨。「急雨」の意味で使われることもある。

怪雨《かいう》　旋風や竜巻などにより、空中に巻き上げられたものが、それのみで、あるいは雨をともなって降ってくることをいう。魚類・両生類・昆虫類・穀物・木の実・花粉・泥土などが今までに観察されている。

岳雨《がくう》　山岳地帯に降る雨。

巖雨《がんう》　岩山あるいは海岸の岩場に降る雨。

甘露《かんろ》の雨《あめ》　「甘露」とは、中国の古い伝説にある、仁政が行われれば、王者の徳を天が愛でて降らせるという甘い霊薬のこと。そのようなありがたい雨。

峡雨《きょうう》　峡谷に降る雨。なお谷間に降る雨は「渓雨《けいう》」「谷雨《こくう》」。

黒《くろ》い雨《あめ》　井伏鱒二の長篇小説「黒い雨」は広島における原爆の悲劇を生活者の目を通して描いたものだが、それ以来爆心地に降る黒い放射能雨の代名詞となった。

毛雨《けあめ》　毛のように細い雨。

血雨《けつう》　赤土など丹の色を帯びた土砂が雨にまじって降るもの。

江雨《こうう》　「江」は大きな川の意。川面に降る雨。

香雨《こうう》　よい香りのする雨。

空濛《こうもう》　こまかい雨。

黒雨《こくう》　工業地帯や都市の煤煙をふくむ雨、または空を暗くして降りかかる豪雨。

沙雨《さう》　こまかな雨。細雨。白居易の詩「江州を望む」に、「猶ほ孤舟を去ること三四里／水煙沙雨、黄昏ならんと欲す」とある。

山雨《さんう》　山から吹き下ろす風、山颪《やまおろし》につれて降ってくる雨。山中の雨。

惨雨《さんう》　さびしさをつのらせる雨。「悲風惨雨」などとつかう。

酸性雨《さんせいう》　自動車の排気ガスや石炭・石油の燃焼から生じる硫黄酸化物、窒素酸化物のために、大気が汚染され、酸性濃度の高い雨が降るようになった。汚染源から遠く離れた地域でも免れないので、地球上の生命に対する深刻な影響が懸念されている。欧州の酸性雨は「緑のペスト」、中国では「空中鬼」とも呼ばれる。

愁雨《しゅうう》　人に愁いを与える雨。

潤雨《じゅんう》　人や作物にうるおいを与える雨。

松雨《しょうう》　松に降りかかる雨。

瘴雨《しょうう》　「瘴気」すなわち人を毒する山川の悪気をふくんだ雨。

清雨《せいう》　清らかな雨。

静雨《せいう》　静かに降る雨。

清露《せいろ》　清らかに美しい雨。

屑雨《せつう》　こまかい雨。

窓雨《そうう》　窓に降りかかる雨。

沢雨《たくう》　万物をうるおす雨。

竹雨《ちくう》　竹林に降る雨。

天水《てんすい》　天から降ってくる恵みの雨。「天水桶」、「天水田（場）」、「天水農業」などとつかい、有効に利用される雨水について称することが多い。

泥雨《どろあめ》　中国の黄砂やサハラ砂漠の土などが風に運ばれ、雨にまじって降るもの。北陸地方沿岸部では、冬から春にかけて黄砂まじりの雪が降ったりするそうだ。「でいう」ともいう。

放射能雨《ほうしゃのうう》　核爆発によって放出される人工放射能が検出される雨で、生物の生活環境を汚染し、危険この上ないものである。

知身雨《みをしるあめ》　身の上を知り顔に降る雨。恋の苦悩を表す。

かずかずに思ひ思はず問ひがたみ
身を知る雨はふりぞまされる
在原業平

野雨《やう》　野にいて防ぎようもなく降られる雨。

和雨《わう》　人や作物にやさしい雨。

たとえて雨

雨《あめ》降《ふ》り　映画のフィルムが古くなり、スクリーンに雨が降っているように何本も何十本も縦筋が映るもの。

一《いち》味《み》の雨《あめ》　「一味」は、あまねく一様に、ということ。草木にへだてなく降りそそぐ雨の意から転じて、仏説が広く流布し、誰彼なく人々の心をうるおすことをいう。

もろともにみつの車にのりしかど
我は一味の雨にぬれにき
よみ人しらず

雨《う》注《ちゅう》　弾丸や矢がさかんに飛んでくる様子を雨にたとえたもので、降りしきる雨のこと。

雨《う》飛《ひ》　本来は強風にあおられ雨が烈しく降ることをいうが、そのように物が飛んでくるのにもいう。「弾丸雨飛」などとつかう。

落《おち》葉《ば》時雨《しぐれ》　葉の落ちる音を時雨にたとえたもの。

花《か》雨《う》　実景としては想像しがたいが、花が雨のように降ること。とくに天上から降る花をいい、神仏の加護のあるしるしと見る。また、花々に降る実際の雨をもいう。

川《かわ》音《と》の時雨《しぐれ》　川を流れる水音を時雨にたとえたもの。

心《こころ》の雨《あめ》　心がふさぎ、晴れやかでないさま。

心《こころ》の雨風《あめかぜ》　心が千々に乱れ、落ち着きを失って晴れないこと。

木《こ》の葉《は》時雨《しぐれ》　紅葉した木の葉が時雨のように吹き散ること、またその音。「木の葉の雨」とも。

木《こ》の実《み》時雨《しぐれ》　木の実が熟してぽとぽと落ちるさまを時雨にたとえたもの。

耳《じ》雨《う》　耳鳴りのこと。絶えず鼓膜の中に雨が降っているような音がするという。

地獄雨《じごくあめ》　「与話情浮名横櫛《よわなさけうきなのよこぐし》」という歌舞伎が当たりをとった。切られ与三《よさ》とお富の事件である。それを題材にして昭和二十年代につくられ、はやった歌謡曲「お富さん」の中の言葉。「命短く渡る浮世は雨もつらいぜ、お富さん、エーサオー、地獄雨」。作詞・山崎正、作曲・渡久地政信、歌手は春日八郎。

蝉時雨《せみしぐれ》　まるで天から降るように鳴きしきる蝉の声を、時雨の音にたとえた語。

袖の雨《そでのあめ》　悲しみの涙で衣の袖が濡れるのを雨にたとえたもの。「**袖の時雨**」「**袖時雨**」とも。

世の中をおもひは入れじ袖の雨にたぐはば月のくもりもぞする　藤原公衡

弾雨《だんう》　機銃掃射などで、弾丸が雨のように烈しく飛んでくること。「砲煙弾雨」などという。

血の雨《ちのあめ》　刃傷沙汰などで多くの死傷者が出、流血の惨事になることのたとえ。

涙の雨《なみだのあめ》　涙が雨のように流れること。「**涙の時雨**」とも。

さみだれの空だに澄める月影に涙の雨は晴るる間も無し　赤染衛門

火の雨《ひのあめ》　火の粉が雨のように降り落ちること。

法雨《ほうう》　雨が万物をうるおすことから、仏法が衆生を救うことをいう。救いの雨であり、慈雨でもある。「**みのりのあめ**」「**のりのあめ**」とも。

松風の時雨《まつかぜのしぐれ》　松の梢を吹く風の音を時雨のそれと聞きなすもの。「**濡れぬ雨**」といって松風の音をいうこともある。

虫時雨《むししぐれ》　虫の鳴く声が時雨のように聞こえるもの。

沐雨《もくう》　晋書に「甚雨《じんう》に沐《かみあら》い、疾風に櫛《くしけず》り、万国を置《た》てたり」という言葉があるが、そこから「櫛風《しっぷう》沐雨《もくう》」という慣用句が生まれた。雨風に身をさらして苦労することをいう。

流星雨《りゅうせいう》　流星とは大気圏に突入した宇宙塵などが、高速度で落下する際に発光するもの。流星群が短時間観測されるときがあるが、それが星の雨のように見える現象。

雨を見る人

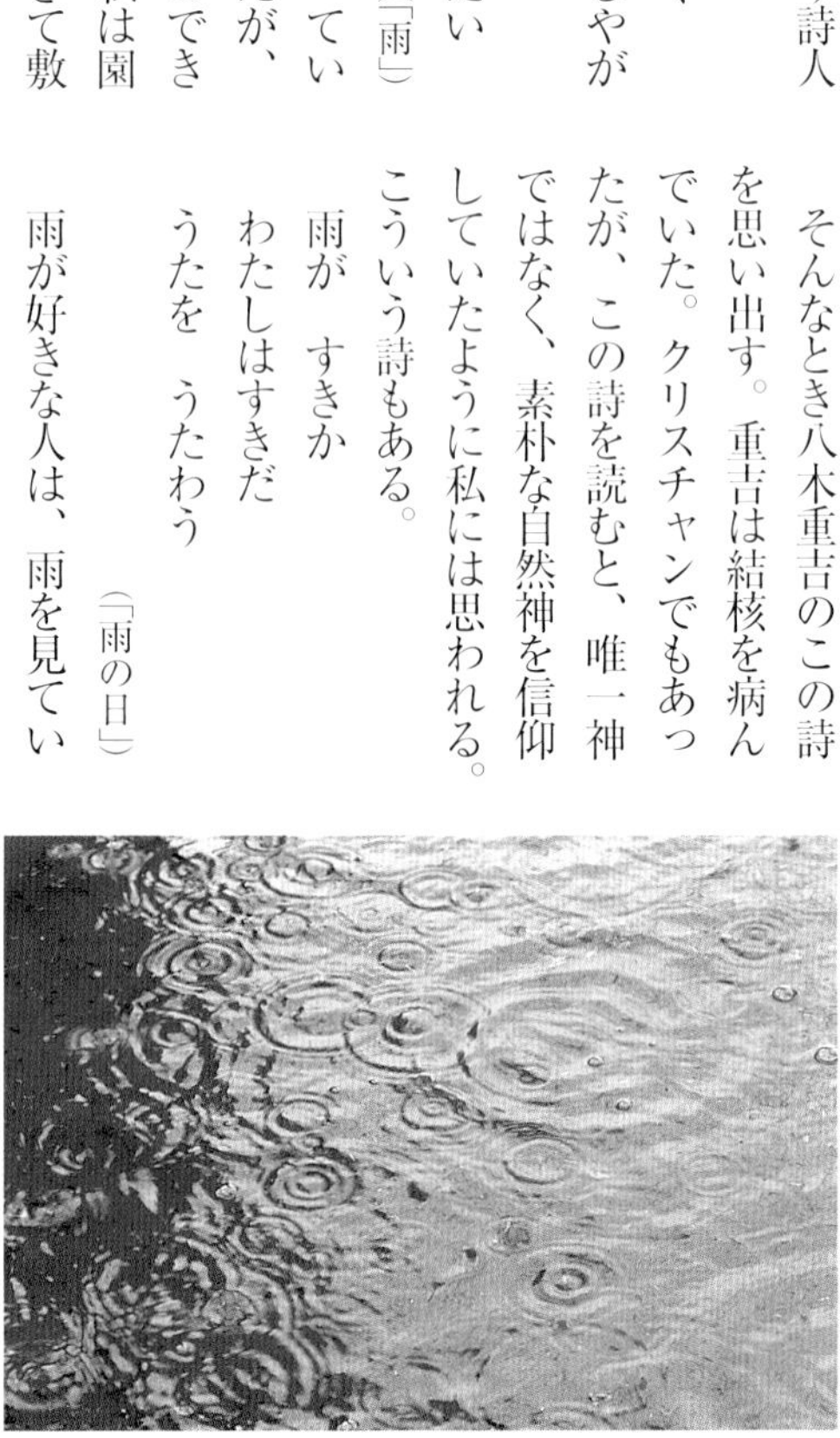

夭折した八木重吉という詩人に、雨の詩がある。

雨は土をうるほしてゆく
雨といふもののそばにしやがんで
雨のすることをみてゐたい
（「雨」）

私の家は本郷台地に建っているので、水はけはいいのだが、雨が降ると必ず水たまりのできるところがある。そこに私は園芸店から小砂利を買ってきて敷きつめている。

きれいな水たまりができる。底の小砂利は洗われて青・青灰色・灰色・白・橙とおのれの肌を輝かせ、雨だれが落ちるたびにゆらゆらと色の波はいりまじり、ふだんは土埃を浴びて打ち捨てられているのが、しばらく足を止めさせるほど。

そんなとき八木重吉のこの詩を思い出す。重吉は結核を病んでいた。クリスチャンでもあったが、この詩を読むと、唯一神ではなく、素朴な自然神を信仰していたように私には思われる。こういう詩もある。

雨が　すきか
わたしはすきだ
うたを　うたわう
（「雨の日」）

雨が好きな人は、雨を見ている人だ。窓から見ていられる雨なら、私も好き。きれいさっぱり雨に洗い流して、また新しく何かを始められるだろう、そう思いながら何もしないで、雨と、雨の向こうの景色を見ている、そういう時間がつくづくほしい。もちろん健康であって。

雨の名前 索引

あ行

青時雨（あおしぐれ）……〇三四
青梅雨（あおつゆ）……〇五二
青葉雨（あおばあめ）……〇三四
秋微雨（あきこさめ）……〇七八
秋さづい（あきさづい）……〇七八
秋雨（あきさめ）……〇七八
秋時雨（あきしぐれ）……〇七八
秋湿り（あきじめり）……〇七九
秋驟雨（あきしゅうう）……〇七九
秋黴雨（あきついり）……〇七九
通草腐らし（あけびくさらし）……〇七九
朝雨（あさあめ）……一二〇
朝時雨（あさしぐれ）……一〇三
朝立ち（あさだち）……一二〇
汗疹枯らし（あせもからし）……〇三四
姉こ天気（あねこてんき）……一二〇
暴れ梅雨（あばれづゆ）……〇五二
雨筋（あますじ）……一四四
天津水（あまつみづ）……一四四
雨雪（あまゆき）……〇九八
雨こ（あめこ）……一三四
雨礫（あめつぶて）……一三四
雨降り（あめふり）……一四八
あらこと……一三四
荒梅雨（あらつゆ）……〇五二
主従雨（あらぶりのあめ）……一三四
暗雨（あんう）……一四四
硫黄の雨（いおうのあめ）……一四四
育花雨（いくかう）……〇〇八
伊勢清めの雨（いせきよめのあめ）……〇七九
磯時雨（いそしぐれ）……一〇三
一陣の雨（いちじんのあめ）……〇三四
一味の雨（いちみのあめ）……一四八
一石日和（いっこくびより）……一二〇
一発雨（いっぱつあめ）……〇三四
糸雨（いとあめ）……一四四
陰霪（いんいん）……一二〇
淫雨（いんう）……一二〇
陰雨（いんう）……一二〇
陰性梅雨（いんせいばいう）……〇五九
淫霖（いんりん）……一二〇
淫潦（いんろう）……一二〇
丑雨（うしあめ）……一二〇
雨濯（うたく）……〇三五
雨注（うちゅう）……一四八
卯の時雨（うのときあめ）……一二一
卯の花腐し（うのはなくたし）……〇三五
雨飛（うひ）……一四八
雨氷（うひょう）……〇九八
梅時雨（うめしぐれ）……〇三五
梅の雨（うめのあめ）……〇三五
梅若の涙雨（うめわかのなみだあめ）……〇〇八
浦西（うらにし）……〇九八
雲雨（うんう）……一四五
液雨（えきう）……〇九八
蝦夷梅雨（えぞつゆ）……〇五二
鶯雨（えんう）……一四五
大雨（おおあめ）……一三四
大荒れ（おおあれ）……一三四
大車軸（おおしゃじく）……一三四
大抜け（おおぬけ）……〇三八
大降り（おおぶり）……一三四
送り梅雨（おくりづゆ）……〇五二
御降り（おさがり）……〇九九
お湿り（おしめり）……一三五
落葉時雨（おちばしぐれ）……一四八
男梅雨（おとこづゆ）……〇五二
男降り（おとこぶり）……一三五
脅し雨（おどしあめ）……〇三八
鬼洗い（おにあらい）……〇九九

御庭洗（おにわあらい）……一四五
親方雨（おやかたあめ）……一二一
御山洗（おやまあらい）……〇八〇
御雷様雨（おらいさまあめ）……〇三八
女梅雨（おんなづゆ）……〇五二

か行

快雨（かいう）……一四五
怪雨（かいう）……一四五
解霜雨（かいそうう）……〇九九
華雨（かう）……〇〇八
夏雨（かう）……〇三八
過雨（かう）……一二一
佳雨（かう）……一二二
嘉雨（かう）……一二二
花雨（かう）……一四八
返り梅雨（かえりづゆ）……〇五二
蛙目隠（かえるめかくし）……〇〇九
岳雨（がくう）……一四五
風花（かざはな）……〇九九
風くそ（かぜくそ）……一二一
風の戯え（かぜのそばえ）……一二一
片時雨（かたしぐれ）……一〇三
かたばたあみ……〇三九
片降り（かたぶり）……一三五
門掃位（かどはきぐらい）……一三五
空梅雨（からつゆ）……〇五二
川音の時雨（かわとのしぐれ）……一四八
寒明の雨（かんあけのあめ）……〇〇九
甘雨（かんう）……〇〇九
巌雨（がんう）……一四五
寒九の雨（かんくのあめ）……一〇二
寒食の雨（かんしょくのあめ）……〇一〇
神立（かんだち）……〇三九
旱天の慈雨（かんてんのじう）……〇三九
十月時雨（かんなづきしぐれ）……一〇三
寒の雨（かんのあめ）……一〇二
甘露の雨（かんろのあめ）……一四五
きーぷーりあみ……一三五
喜雨（きう）……〇三九
鬼雨（きう）……一三五
騎月雨（きげつう）……一二二
樹雨（きさめ）……〇四二
北時雨（きたしぐれ）……一〇三
北しぶき（きたしぶき）……一〇二
北山時雨（きたやましぐれ）……一〇三
気違い雨（きちがいあめ）……一二二
狐雨（きつねあめ）……〇四二
狐の嫁入り（きつねのよめいり）……〇四一
久雨（きゅうう）……一二一
急雨（きゅうう）……一二一
牛脊雨（ぎゅうせきう）……〇四三
強雨（きょうう）……一三八
峡雨（きょうう）……一四五
暁雨（ぎょうう）……一二二
杏花雨（きょうかう）……〇一〇
狂霖（きょうりん）……一二三
霧雨（きりさめ）……〇八〇
霧時雨（きりしぐれ）……〇八〇
霧の小便（きりのしょんべん）……〇八〇
錦雨（きんう）……〇四三
銀箭（ぎんせん）……〇四三
銀竹（ぎんちく）……〇四三
苦雨（くう）……一二三
くかるあまーみ……〇四三
草の雨（くさのあめ）……〇一〇
薬降る（くすりふる）……〇四六
紅の雨（くれないのあめ）……〇一〇
黒い雨（くろいあめ）……一四五
毛雨（けあめ）……一四五
軽雨（けいう）……〇一〇
啓蟄の雨（けいちつのあめ）……〇一一
迎梅雨（げいばいう）……〇一一
血雨（けつう）……一四五
月旦雨（げったんう）……一二三
懸雨（けんう）……一二三
げんひち雨（げんひちあめ）……一二三
紅雨（こうう）……〇一一
膏雨（こうう）……〇一四
好雨（こうう）……一二三
恒雨（こうう）……一二三
洪雨（こうう）……一三八
行雨（こうう）……一三八
江雨（こうう）……一四六
香雨（こうう）……一四六
豪雨（ごうう）……一三八
交月雨（こうげつう）……一二三
甲子の雨（こうしのあめ）……一二三
黄雀雨（こうじゃくう）……〇八一
滉濛（こうもう）……一四六
膏霂（こうもく）……〇一四
高野のお糞流し（こうやのおぐそながし）……〇一四
洪霖（こうりん）……一二三

大雷雨（だいらいう）……〇五〇
田植雨（たうえあめ）……〇五一
宝雨（たがらーめ）……〇五一
鷹渡り（たかわたり）……〇八五
滝落し（たきおとし）……一四〇
沢雨（たくう）……一四七
筍梅雨（たけのこづゆ）……〇五一
たち雨（たちあめ）……一二八
たて洪水（たてこうずい）……一四〇
七夕流し（たなばたながし）……〇八五
旦雨（たんう）……一二八
暖雨（だんう）……〇一七
弾雨（だんう）……一四九
端的雨（たんてきあめ）……〇五一
竹雨（ちくう）……一四七
血の雨（ちのあめ）……一四九
昼雨（ちゅうう）……一二八
注雨（ちゅうう）……一四〇
墜栗花（ついり）……〇五一
月時雨（つきしぐれ）……一〇四
茅花流し（つばなながし）……〇五一
梅雨（つゆ）……〇五二
露時雨（つゆしぐれ）……〇八五
天道雨（てぃだあみ）……〇五六
鉄砲雨（てっぽうあめ）……一四〇
電雨（でんう）……〇五六
天気雨（てんきあめ）……〇五六
天泣（てんきゅう）……〇五六
天水（てんすい）……一四七
冬雨（とうう）……一〇八
凍雨（とうう）……一〇八
冬至雨（とうじあめ）……一〇九
通り雨（とおりあめ）……一二八
時の雨（ときのあめ）……一〇九
所降（ところぶり）……〇五七
土砂降り（どしゃぶり）……一四〇
富下り（とみさがり）……一〇九
土用雨（どようあめ）……〇五七
土用時化（どようじけ）……〇五七
虎が雨（とらがあめ）……〇五七
泥雨（どろあめ）……一四七

な行

長雨（ながあめ）……一二八
殴り雨（なぐりさめ）……一四〇
なごの小便（なごのしょんべん）……〇八八
菜種梅雨（なたねづゆ）……〇一七
夏雨（なつさめ）……〇五八
夏時雨（なつしぐれ）……〇五八
七つ下がりの雨（ななつさがりのあめ）……一二八
鍋割（なべわり）……〇八八
涙の雨（なみだのあめ）……一四九
西上（にしあげ）……〇八八
虹の小便（にじのしょうべん）……〇五八
俄雨（にわかあめ）……一二八
猫毛雨（ねこんけあめ）……〇八八
年末梅雨（ねんまつづゆ）……一〇九
後の村雨（のちのむらさめ）……〇八八

は行

梅雨（ばいう）……〇五九
沛雨（はいう）……一四〇
梅雨前線豪雨（ばいうぜんせんごうう）……〇五九
梅子雨（ばいしう）……〇六二
霈霖（はいりん）……一二八
梅霖（ばいりん）……〇六二
白雨（はくう）……〇六二
麦雨（ばくう）……〇六二
白驟雨（はくしゅうう）……〇八九
化雨（ばけあめ）……〇六二
運び雨（はこびあめ）……一〇九
走り雨（はしりあめ）……一二八
走り梅雨（はしりづゆ）……〇五二
発火雨（はっかう）……〇二〇
初時雨（はつしぐれ）……一〇四
初夕立（はつゆうだち）……〇六二
花時雨（はなしぐれ）……〇二〇
花時の雨（はなどきのあめ）……〇二〇
花の雨（はなのあめ）……〇二一
婆威し（ばばおどし）……〇六一
春雨（はるさめ）……〇二一
春時雨（はるしぐれ）……〇二一
春驟雨（はるしゅうう）……〇二四
春の雨（はるのあめ）……〇二四
春霙（はるみぞれ）……〇二四
春夕立（はるゆうだち）……〇二五
晩雨（ばんう）……一二九
半夏雨（はんげあめ）……〇六二
万物生（ばんぶつしょう）……〇二五
飛雨（ひう）……一四〇
彼岸時化（ひがんじけ）……〇二五
氷雨（ひさめ）……〇六八・一一二
肘笠雨（ひじがさあめ）……一二九

一雨（ひとあめ）……一二九
一落とし（ひとおとし）……一二九
一切雨（ひときりあめ）……一一二
一絞り（ひとしぼり）……一二九
火の雨（ひのあめ）……一四九
風雨（ふうう）……一四〇
不浄流し（ふじょうながし）……一二九
冬時雨（ふゆしぐれ）……一〇四
降り物（ふりもの）……一四〇
分龍雨（ぶんりょうのあめ）……〇六八
片雨（へんう）……一四〇
暮雨（ぼう）……一二九
澎雨（ほうう）……〇八九
法雨（ほうう）……一四九
放射能雨（ほうしゃのうう）……一四七
滂沢（ぼうたく）……一四一
暴風雨（ぼうふうう）……一四一
芒種雨（ぼーすーあみ）……〇六八
外持雨（ほまちあめ）……一四一
ほろ時雨（ほろしぐれ）……一〇四
盆雨（ぼんう）……一二九
盆の雨（ぼんのあめ）……〇八九
本降り（ほんぶり）……一四一

ま行

松風の時雨（まつかぜのしぐれ）……一四九
まばら雨（まばらあめ）……一三二
水取雨（みずとりあめ）……〇六九
水雪（みずゆき）……一一二
霙（みぞれ）……一一二
知身雨（みをしるあめ）……一四七
迎え梅雨（むかえづゆ）……〇五二
虫時雨（むししぐれ）……一四九
村雨（むらさめ）……一三二
村時雨（むらしぐれ）……一〇四
瞑怒雨（めいどう）……〇六九
めぐる時雨（めぐるしぐれ）……一〇四
麦食らい（もぎくらい）……〇二七
沐雨（もくう）……一四九
もらったあみ……〇六九

や行

夜雨（やう）……一三二
野雨（やう）……一四七
八重雨（やえあめ）……一四一
夜春（やしゅん）……一三三
山蒸（やまうむし）……〇二七
山時雨（やましぐれ）……一〇五
山廻り（やまめぐり）……一三三
夜来の雨（やらいのあめ）……一三三
遣らずの雨（やらずのあめ）……一三三
夕雨（ゆうさめ）……一三三
夕時雨（ゆうしぐれ）……一〇五
夕立（ゆうだち）……〇六九
夕霙（ゆうみぞれ）……一一三
愉英雨（ゆえいう）……〇二七
雪雨（ゆきあめ）……一一三
雪下（ゆきおろし）……一一三
雪解雨（ゆきげあめ）……〇二七
雪時雨（ゆきしぐれ）……一〇五
雪雑り（ゆきまじり）……一一三
淀雨（ゆどぅんあみ）……〇七一
夜上がり（よあがり）……一三三
宵の雨（よいのあめ）……一三三
養花雨（ようかう）……〇二七
陽性梅雨（ようせいばいう）……〇五九
沃霖（よくりん）……〇二七
横雨（よこあめ）……一四一
横時雨（よこしぐれ）……一〇五
夜雨（よさめ）……一三三
昨夜の雨（よべのあめ）……一三三
夜の時雨（よのしぐれ）……一〇五
夜半の雨（よわのあめ）……一三三

ら行

雷雨（らいう）……〇七一
立春の雨（りっしゅんのあめ）……〇二七
流星雨（りゅうせいう）……一四九
涼雨（りょうう）……〇七一
霖雨（りんう）……一三三
淋雨（りんう）……一三三
屡雨（るう）……一一三
冷雨（れいう）……〇八九
霊雨（れいう）……一三三
零雨（れいう）……一四一
連雨（れんう）……一三三

わ行

和雨（わう）……一四七
私雨（わたくしあめ）……一四一

参考文献

「日本国語大辞典」（小学館）
「大辞泉」（小学館）
「広辞苑」（岩波書店）
「逆引き広辞苑」（岩波書店）
「大漢和辞典」諸橋轍次（大修館書店）
「字通」白川静（平凡社）
「漢詩の事典」（大修館書店）
「日本類語大辞典」（講談社）
「日本大百科全書」（小学館）
「日本方言大辞典」（小学館）
「標準語で引く方言小辞典」倉持保男編（東京堂出版）
「気象の事典」（東京堂出版）
「気象の大百科」二宮洸・新田尚・山岸米二郎（オーム社）
「天気がわかることわざ事典」細田剛（自由国民社）
「日和見の事典」倉嶋厚（東京堂出版）
「ちょっと使えるお天気知識」倉嶋厚（小学館文庫）
「大歳時記」（集英社）
「ホトトギス新歳時記」稲畑汀子編（三省堂）
「最新俳句歳時記」山本健吉編著（文藝春秋）
「朝雨は女の腕まくり」宮澤清治（井上書院）
「雨と日本人」宮尾孝（丸善）
「雨の景観への招待——名雨のすすめ」小林享（彰国社）
「江戸文学俗信辞典」石川一郎編（東京堂出版）

雨の物語

この国には雨が多い。私たちは雨を生活の糧としてきた農耕民族の末裔《まつえい》だが、それゆえに季節の雨、朝晩の雨、強弱、大小、ある時は戯れ、ある時はしっとりと降りかかる雨に一喜一憂、それぞれをふさわしい名で呼んできたようだ。心ひかれる雨の名前をいくつももつこの国の言葉が私は好き。

編集部の鍋倉孝二郎さんにすすめられて、手さぐりで雨の中をかいくぐり、拾いだしてきたものが、ご覧のとおりの雨の名前だが、その数の多さと豊かさは私の予想をはるかに超えた。

特に中国伝来の鮮やかな、身振りの大きい言葉、方言事典で知ったユーモラスな雨の表現には感嘆した。

佐藤秀明さんの写真は、窓から眺める雨のようだ。撮影者は本人も機材も雨に濡れて大変だったろう。しかしそこには雨の物語がある。私も誘われて、つい自分の貧しい雨の物語を語りたくなった。

（高橋順子）

高橋順子《たかはしじゅんこ》

詩人。「歴程」同人。
一九四四年、千葉県に生まれる。
東京大学仏文学科卒。出版社勤務を経て、法政大学日本文学科非常勤講師。
著書に詩集『幸福な葉っぱ』（現代詩花椿賞受賞）『普通の女』『高橋順子詩集成』（以上書肆山田）、『時の雨』（読売文学賞受賞・青土社）、評論『連句のたのしみ』（新潮社）、エッセイ集『けったいな連れ合い』（PHP研究所）などがある。

雨中拾得

日本は雨の国である。だからといって雨との付き合いが長くなると、誰しも青空の下で暮らしたいと願うものだ。しかし日照りが続くとひと雨恋しくなる。かと言って長雨にたたられると気が滅入ってくる。写真を撮ることを生業としているとこの雨というやつが実に厄介なのだが、ふてくされて布団にもぐり込んでいても何の解決にもならない。

ある雨の日、少し頭を切り替えてカメラをぶらさげながら街をうろついてみた。七年も前のことになるだろうか。

雨に濡れた家々の壁や息を吹き返した草花など、雨に濡れなかったら気が付かなかっただろう風景が生き生きとして見えることが嬉しかった。

その時、僕は何か人生を二倍得したような気がして時が経つのも忘れて雨の中を歩き回ってしまった。そして今も雨が降ると落ち着かない日を送っているのである。

（佐藤秀明）

佐藤秀明《さとうひであき》

写真家。日本写真家協会会員。一九四二年、新潟県に生まれる。日本大学芸術学部写真学科を卒業の後、フリーのカメラマンになる。北極、チベット、アフリカ、南洋諸島など、世界各地の人間とその生活・自然をテーマに多くの作品を発表している。著書に『北極』（情報センター出版局）、『口笛と辺境』（早川書房）、『秘境マルケサス諸島』（共著・平凡社）など多数。

雨の名前

二〇〇一年六月二十日　初版第一刷発行
二〇二三年六月六日　第十八刷発行

著　者　高橋順子
佐藤秀明

発行者　石川和男
発行所　株式会社小学館
〒一〇一-八〇〇一　東京都千代田区一ツ橋二-三-一
電　話　編集〇三-三二三〇-五八一〇
販売〇三-五二八一-三五五五
インターネット　http://www.shogakukan.co.jp
印　刷　文唱堂印刷株式会社

ISBN4-09-681431-8 Shogakukan, Inc.

編集・造本・装幀・装画　鍋倉孝二郎
資料収集・校閲　石田真理
DTP　矢田典雅（クリエイティブ・サノ・ジャパン）
写真提供　PPS通信社

造本には十分注意しておりますが、印刷、製本など製造上の不備がございましたら「制作局コールセンター」（フリーダイヤル〇一二〇-三三六-三四〇）にご連絡ください。（電話受付は土・日・祝日を除く九時三〇分～一七時三〇分）